U0105443

駱建人著作集

駱建人論學雜著

駱建人　著

▲駱建人先生

▲駱建人先生家居留影

◀駱建人先生全家福

▼駱建人先生含飴弄孫照

▲▼駱建人先生中國大陸旅遊照

▲民國六十八年獲中正文化獎首獎，由嚴副總統家淦頒獎。

▲攝於詩人羊令野書法展，與羊令野先生合影。

目次

序

蔡信發

相書說：「南人北相者，主貴。」駱老就是「南人北相」最好的寫照。

駱老身材魁梧，聲如洪鐘，談笑之間，眉飛色舞，有北人之豪邁，無文人之柔弱；屬文之際，又龍飛鳳舞，躍然紙上，有南人之文采，無武士之魯莽。

我與駱老相識甚久，深知他是一個鐵錚錚的漢子。安徽對南方人來說是北方，對北方人來說是南方。駱老性格豪放，但感情細膩，講情重義，知書達理。「日月之行，若出其中；星漢燦爛，若出其裏」，這是對古代安徽一地人文昌盛的描寫，也是駱老個性的寫照。

駱老弱冠時，遭逢大陸戰亂。民國三十四年，他在南京臨時大學法律系就讀；三十八年，輾轉流離到臺灣，定居在永和福和橋畔。獨自離鄉，來到海嶠，先後擔任好幾所中學的訓導主任，也擔任過臺南師範學校的訓導主任、臺北市立師範學院的學務長。在這期間，從不間斷著書立說，終以著作《孟子學說體系探賾》，榮升教授，若說他一生清貴，也是當之無愧的。

我與駱老在臺北市立師院成為知己，即是因他個性爽朗，不拘小節，古道熱腸，憨厚耿直。他的一生奉獻教育，對學生愛護有加，無論本省、外省，均援引照顧，真情至性，流露無遺。他雖家計窘迫，但藏書滿室，蒐藏茗壺、古硯，傾其所有，雅興不減，而一生奉守孔孟學說，旁及諸子，著有《文中子研究》，其為人處世，無不以「仁」、「義」為依皈。

駱老之「仁」，表現在他的「赤子之心」。他曾路見不平，拔刀相助，為流氓所傷，卻因憐憫對方失業，還給了對方一筆錢。他因離鄉背井，念及僑生獨在他鄉為異客，每逢年節，即邀他們圍爐，這些作為，全出於一片真心！在那普遍物質缺乏的年代，他無疑是好客、慈藹的。無論對朋友、陌生人，他總是推心置腹，濟人危急，未嘗稍歇，以至於辭世之前，家境難臻小康。

駱老之「義」，表現在他的「勇於辭讓」。他在南師當訓導主任時，因為維護學生，得罪校長，因此離開南師；他在面對權貴、政要時，從不假辭色，直道而行，也因此曾賦閒在家。若說對肝膽相照的朋友，他更是義不容辭，能忍則忍，能讓就讓，也因此獲得朋友們的敬重。

駱老退休之後，我們有一個轉轉會。他雖喜酌酒，但因深知好友不飲酒，所以相當節制，從這裏可以看出他凡事體諒朋友，十分貼心。我們縱論天下事，但他從不論人是非，更可見他自我節制的功夫。他的一生，效法淵明的淡泊自適，具有東坡的堅苦卓絕、稼軒的豪情壯志，「仁」以待人，「義」以自律，堪稱是文士中的君子。

若說「經師人師」，駱老也當之無愧。經師是人師之體；人師是經師之用。非經師，無以成人師；凡為人師，必然是經師。因學問不足，難以傳道、授業，怎能為人師？古人說：「經師易得，人師難求。」駱老振鐸杏壇四十載，不但具經師之質，且著述之餘，解惑尤多，於今日人師固難求，經師亦不可得之際，堪為人師之表率。

南人講「仁」，北人重「義」，駱老兼重仁義，這是我對他平日行事的感受。因其行仁，所以對親人恪守本分，教子有成；因其重義，所以無論友朋、知己，無不掏心掏肺，盡其所能；因其仁義兼具，所以無論晚輩、學生，都能循循善誘，期望有成。我既以有這樣的知己，引以為傲，又受託於門弟子，援以為序，而譔寫之際，想起駱老一生清貴，又不禁望風依依，感慨係之矣！

民國一百年歲次辛卯桂月鄞縣蔡信發敬書

序

王邦雄

不論是為學與做人，駱建人先生都是鐵肩擔道義的好漢。

民國四十七年九月，我在臺南師範學校普師科就讀，由二年級升上三年級，是在南師求學的最後一年，正滿懷憧憬，準備離校而迎接身為人師這一新身分的到來。那是少年十五、二十時的青澀年代，整個臺灣也處在最艱困的時期。師範生幾乎都是來自窮苦的家庭，天分資質都很高。前來古都臺南尋求「志於學」的成長路，那真的是可以專心讀書，也可以真心交朋友的錦繡年華。師範生逃離在聯考的枷鎖之外，擁有無限寬廣的自在天空，「可與共學」，也「可與適道」，是否「可與立」的立於道，或「可與權」的通於權，則期諸未來歲月的磨練與考驗了。

就在這一年，駱老師隨著新校長來到了南師，且擔當訓導主任的重任。這一職責，先天上就讓學生反感，至少也敬而遠之，都說是敬畏，實則「畏」的成分遠大於「敬」，駱老師卻可以在一年之間，完全扭轉了過來，讓我們對他的「敬」，遠大於「畏」。

扭轉的關鍵在，新校長到任的第一把火，要男生剪光三千煩惱絲，引爆了我們這一屆學生的群起抗命，校長威權受挫，集合全校學生在大操場陽光下訓話，大伙兒擺出拒絕聽訓的姿態，既吵雜又散漫，校長大為光火，要教官解散隊伍，再重新整隊。未料，震耳的口令聲通過麥克風傳來。我們這一屆學生竟沒有人移動腳步，三三兩兩蹲在樹蔭底下納涼，反而把穿著西裝，打上領帶的校長留在陽光底下的司令臺上。情勢已失控，校長拂袖而去，大伙兒重回教室上課。

此等同鬧學潮，僵局一時難解。苦的是夾在校長與學生之間的駱老師。既要穩住校長，又要勸勉學生。就在當天晚上的一場燭光交心會中，他以鐵漢的柔情淚水，感化了性情未定的血氣少年。他保住了我們的頂上風光與尊嚴，也贏得了所有學生對他的敬愛與信任。

他從未在課堂上教導我們「知識的學問」，他啟發我們的是從身教而來的「生命的學問」。就因為他站在學生這一邊，折損了校長的權威，雖得到了學生的愛戴與敬重，卻在我們離校半年之後，他也離開了南師。

此後，他北上臺北商職任教，又落腳永和，也展開了老師與我研討中國哲學的另一段師生緣。有一回，搭公車回永和，一上車老師一眼看到我，立即喊出我的名字，這是離校十幾二十年的事，太感人了，在世衰道微之際，自己有幸碰上了這樣的老師。

老師民國三十四年入南京臨時大學法學院法律系就讀，三十八年逃難來臺，似乎未有安定而完整的大學學思歷程，更別說上研究所深造了。且前後擔任了好幾所中學的訓導主任，與臺北市立師範學院的學務長，都是最繁重的工作。他還是可以自家下工夫鑽研，在語文教育系擔任教職。民國六十二年出版了《徐幹中論研究》，六十四年在臺北商專升等副教授；民國六十八年再出版了《孟子學說體系探頤》，隔年在臺北市立師範學院升等教授，該書並獲得中正文化學術獎。由是而言，他不僅是鐵肩擔道義的好漢，更是不待文王猶興的豪傑。

他一度應聘東吳大學哲學系，兼任「孔孟荀哲學」的專家課程，老師知道我跟幾位朋友創辦了《鵝湖月刊》，也跟我們一起深讀唐君毅、牟宗三、徐復觀諸先生的著作。未料，引來系主任的干預，說不要引據新儒家的觀點來講課，老師「仁者安仁」，又「求仁而得仁」，果真失去了這一門課程。

不論是不愉快的離開南師，或失去了「孔孟荀哲學」的重要課程，背後都有他擇善固執的理念堅持，他既是擔得起的鐵漢，又是放得下的豪傑，決不為五斗米而折腰。

而今，在老師過世七年之後，由學生友朋安排，將老師散見各報刊雜誌的文章，集結出書，名曰《論孟心詮》，與《駱建人論學雜著》。師生有緣，在三十年的學術生涯中，時相過從，會面論學，老師很看重我。實則，儒學傳統不是知識的學問，而當是生命的學問，老師一生的為學與做人，都有一分儒者的傲骨，也為學生輩留下了身為儒者的風範。

昨夜夢裡，出現了老師壯碩的身影，神奇的是他正在國手集訓的網球場督導公子駱以軍高壓式的重力發球。這樣的場景，或許跟我原本身為南師網球校隊的自身經歷直接相干。我想老師一生最重大的作品，就是生出也養成活躍當代文壇已卓然成家的駱以軍吧！以軍說老師生前常得意的說在臺灣的學生王邦雄如何如何，又說旅居美國的學生蘇俐煇又如何如何，想他一生得意門生不知有多少，可能是我一生的學術進路跟他最貼近吧，而蘇俐煇應邀前往北京講學，在兩岸未開放交流的時刻，她專程南下老師的家鄉，看老師的家人，並攜回一撮故鄉泥土的一分深情吧！

這兩本結集的主軸，其一在孔孟荀三家的儒學思想與時代關懷，其二在陶淵明詩學的心靈境界與知識份子的擔當，這就是傳統儒者「不可解於心」的本懷，與身為知識份子「無所逃於天地之間」的使命感。

老師不在了，而長留風範在人間，「頌其詩，讀其書，不知其人可乎，是以論其世也」，懷想老師的一生，也為這個時代做個見證吧！

王邦雄謹序於淡江大學中文系民國百年六月

陶淵明詩派底心靈境界及對後世知識份子的影響

一、小引

本校企四乙班同學林瑞欽君一夕來談，他說了兩句話：「我以為弗洛伊德（Sigmund Freud）的《夢之解析》，只能予人以精神病態消極的治療，卻不能如禪的超脫（Transcendentalism）和陶淵明的澹泊可予人一種心靈的和諧（Harmony）以免除精神的負荷而收積極修養的功效！」可謂知言！我受了林君這幾句話的觸發，寫下這篇小文，不從正面去介紹我們這位曠古未有的田園詩人，而以橫截的手法去窺探這位謳歌自然的偉大歌手的心靈境界！

自我們這位有「天馬行空」的氣概、「逸鶴任風」的襟懷的歌詠自然的詩人出現後，後世詩人，凡愛好自然，傾向性靈方面的作品，很少沒有受到他的影響的，要想列舉，誠有浩瀚難收之嘆，現在僅能把和他所處運會之艱，用心之苦，而能自困境中在心境上另闢蹊徑，豪邁中見婉約，顛沛中見寧靜，困苦中得超脫，素行相類，聲氣相通，具有代表性的三位詩人列舉出來：

（一）唐代的王維。

（二）北宋的蘇軾。

（三）南宋的辛棄疾。

以見淵明影響後世而形成的詩派。

同時，我還得特別申明，本文著重在思想探賾，僅引上列諸家作品之大要，不作精密之排比，以意逆志而已，至後文主淵明思想屬儒家的說法，也因為陶集中無論詩、賦、記、傳各篇中所表現儒家思想者，俯拾皆是，限於篇幅，本文將無法一一臚列，也望博雅君子諒之。

二、沈雄豪邁的風格及其影響

淵明生在晉傾宋篡的時代，他一面悲傷晉室的覆亡，一面痛心北方始終淪於異族，故他的作品所表現的一面是沈雄豪放的，李辰冬先生說他是「猛志逸四海」的階段。明茅坤為周履靖《五柳賡歌》作序，他說：「千年來共謂古之棲逸者流，而以詩酒自放者也，已而予三復之，及讀〈詠三良〉、〈詠荊軻〉與〈感士不遇賦〉，其中多嗚咽欷歔，而低徊不自已，予獨疑其晉室之傾，或欲按張子房故事以五世相韓故（按：潛曾祖侃仕晉為大司馬，祖茂仕晉為武昌太守）而行讎博浪沙中者，然子房謀雖無成，猶藉真人起豐沛以亡秦也。淵明獨不偶，故其言曰：『一朝長逝後，願言同此歸。』又曰：『惜哉劍術疎，奇功遂不成，其人雖云沒，千載有餘情。』……吾悲其心懸萬里之外，九霄之上，獨憤翮翮之縶而蹄之蹶，故不得已以詩酒溺之耳！」周履靖另編《騷壇祕語》亦評淵明：「心存忠義，心處閒逸。」茅、周兩氏所見，可謂是淵明的千古知己，蓋一位偉大的詩人，如不能表現時代的心聲而僅能描述自然，那就算不得是「偉大」，淵明生當國脈危亡，君臣失紀，無可如何之際，發為詩歌，豪放中見沈鬱，澹泊中具俠氣，蓋傷心人別有懷抱也。

他的沈雄豪放的作品甚夥，舉不勝舉，其具有代表性的，如〈讀山海經〉中的一首：

精衛銜微木，將以填滄海。刑天舞干戚，猛志固常在。
同物既無慮，化去不復悔。徒設在昔心，良晨詎可待？

〈詠三良〉：

彈冠乘通津，但懼時我遺。服勤盡歲月，常恐功愈微。
忠情謬獲露，遂為君所私。出則陪文輿，入必侍丹帷；
箴規向已從，計議初無虧。一朝長逝後，願言同此歸。
厚恩固難忘，君命安可違？臨穴罔惟疑，投義志攸希。
荊棘籠高墳，黃鳥聲正悲。良人不可贖，泫然霑我衣。

重義輕生，一洗《詩經》「臨其穴，惴惴其慄」之誣，重估了三良的義俠精神！

〈詠荊軻〉：

燕丹善養士，志在報強嬴。招集百夫長，歲暮得荊卿。
君子死知己，提劍出燕京。素驥鳴黃陌，慷慨送我行。
雄髮指危冠，猛氣衝長纓。飲餞易水上，四座列群英。

漸籬擊悲筑，宋意唱高聲。蕭蕭哀風逝，淡淡寒波生。
商音更流涕，羽奏壯士驚。心知去不歸，且有後世名。
登車何時顧？飛蓋入秦庭。凌厲越萬里，逶迤過千城。
圖窮事自至，豪主正怔營。惜哉劍術疎，奇功遂不成。
其人雖已沒，千載有餘情。

是何等的胸懷？是何等的氣魄？宋朱熹說他：「淵明詩，人皆說他平淡，余看他自豪放，但豪放得來不覺耳！其露出本相者，是〈詠荊軻〉一篇，平淡底人如何說得出這樣語言出來？」元劉履說他：「此靖節憤宋弒奪之變，思欲為晉求得如荊軻者往報焉，故為是詠，觀其首尾句意可見。」清沈德潛說他：「英氣勃發，情見乎辭。」溫汝能說他：「人祇知先生終隱柴桑，安貧樂道，豈知卻別有心事在，賢者不可測，英雄豪傑中人，安知不即學道中人耶?!」蔣薰評此詩：「悲壯淋漓，知潯陽之隱，未嘗無意奇功，奈不逢會耳！先生心事畢露於此。」都可算淵明知己。「千載有餘情」之句，至今我們讀了猶覺虎虎有生氣，淵明此詩的豪放，實已表達了一個劍士最高的境界！

此外，他的〈擬古詩〉中有句：

出門萬里客，中道逢佳友。未言心先醉，不在接杯酒。

又：

聞有田子泰，節義為士雄。斯人久已死，鄉里習其風。

生有高世名，既沒傳無窮。不學狂馳子，直在百年中。

又：

山河滿目中，平原獨茫茫，古時功名士，慷慨爭此場。

又：

少時壯且厲，撫劍獨行遊。誰言行遊近？張掖至幽州。

他的〈雜詩〉中有句：

丈夫志四海，我願不知老。

又：

憶我少壯時，無樂自欣豫，猛志逸四海，騫翮思遠翥。

都是悲歌慷慨，拔地斫天的作品。現在來談受他影響的幾位詩人。先談王維：

王維，字摩詰，太原祁人，生在唐中宗大足元年，死在肅宗上元二年，他身逢天寶之亂，固已接近他的暮年，但詩人的感覺總是敏銳的，當他看到李林甫之流用事，哥舒翰、安祿山之流守邊，誇大邀功，驕睢自恣，他就預感邊塞將要多事了，故他的豪放的作品中有關塞上吟的甚多，如他的古體詩：

> 吹角動行人，喧喧行人起。笳悲馬嘶亂，爭渡金河水。
> 日暮沙漠垂，戰聲烟塵裏。盡係名王頭，歸來報天子。
> （〈從軍行〉）
> 十里一走馬，五里一揚鞭。都護軍書至，匈奴圍酒泉。
> 關山正飛雪，烽戍斷無烟。（〈隴西行〉）
> 漢家李將軍，三代將門子。結髮有奇策，少年成壯士。
> 長驅塞上兒，魚入單于壘。旌旗列相向，簫鼓悲何已。
> 日暮沙漠垂，戰聲烟塵裏。將令驕虜滅，豈獨名王侍。
> 既失大軍援，遂嬰空廬恥。少小蒙漢恩，何堪坐思此。
> 深衷欲有報，投軀未能死。引領望子卿，非君誰相理？
> （〈李陵詠〉）

蓋記實也。摩詰本意並非僅若司馬氏之為李陵辯誣，實在也是責備當時權臣忌才貪功誤國的不當，千古之下，忠義之士，雖不直李陵之行，但誰不為他的遭際而感到痛心扼腕呢！

此外，他的七言古體詩還有如：

> 長城少年游俠客，夜上戍樓看太白。隴頭明月迥臨關，
> 隴上行人夜吹笛。關西老將不勝愁，駐馬聽之雙淚流。
> 身經大小百餘戰，麾下偏裨萬戶侯。蘇武纔為典屬國，
> 節旄空盡海西頭。（〈隴頭吟〉）
> 少年十五二十時，步行奪取胡馬騎。射殺山中白額虎，

肯數鄴下黃鬚兒！一身轉載三千里，一劍曾當百萬師。
漢兵奮迅如霹靂，虜騎奔騰畏蒺藜。衛青不敗由天幸，
李廣無功緣數奇。自從棄置便衰朽，世事蹉跎成白首。
昔時飛箭無全目，今日垂楊生左肘。路旁時賣故侯瓜，
門前學種先生柳。蒼茫古木連窮巷，寥落寒山對虛牖。
誓令疏勒出飛泉，不似潁川空使酒。賀蘭山下陣如雲，
羽檄交馳日夕聞。節使三河募年少，詔書五道出將軍。
試拂鐵衣如雪色，聊持寶劍動星文。願得燕弓射大將。
恥令越甲鳴吾君。莫嫌舊日雲中守，猶堪一戰立功勳。
（〈老將行〉）

他的近體詩則有如：

居延城外獵天驕，白草連天野火燒。暮雲空磧時驅馬，
秋日平原好射雕。護羌校尉朝乘障，破虜將軍夜渡遼。
玉靶角弓珠勒馬，漢家將賜霍嫖姚。（〈出塞作〉）
出身仕漢羽林郎，初隨嫖騎戰漁陽；孰知不向邊庭苦，
縱死猶聞俠骨香。（〈少年行〉）
腰間寶劍七星文，臂上琱弓百戰勳。見說雲中擒黠虜，
始知天上有將軍。（〈贈裴旻將軍〉）

當安祿山叛軍佔據長安，玄宗幸蜀，他不及隨駕，為賊所得，服藥瀉痢，以避偽職，祿山仍迫宴於凝碧池，他感泣私成口號誦示他的知友裴迪秀才云：

萬戶傷心生野煙，百官何日再朝天？秋槐葉落深宮裏，
凝碧池頭奏管絃。

賊平後，他就因這首詩免罪。他的作品，充滿了愛國情操，邊陲立功之思，讀之英風颯颯，劍氣粼粼，誰說摩詰只是鏤紅刻翠的山水詩人呢？

再談蘇軾：

蘇軾，字子瞻，號東坡居士，四川眉山人，生於北宋仁宗景祐三年，死在徽宗建中靖國元年。他所生的時代，雖然是北宋晏安之時，不與靖節、摩詰遭際相同，但當時舉國上下耽於逸樂，隱憂已出現在眉睫之間了。他是個聰明絕頂、眼光敏銳的人，早已嗅覺到了國家已隱伏了危亡的氣氛，〈教戰守策〉一文真是曲突徙薪居安思危之作，但可惜當時沒被顢頇的當政者所重視罷了。同時，他個人的政治生命，也正遇上了北宋政客們黨爭最為劇烈之際，他以維護傳統，屢受打擊，一生遷謫流放，幾至席不暇暖之境，發為詩歌，當然也有一股激昂勃鬱之氣，秉靈均之忠，而受長沙之謫，又怎能不悲歌慷慨呢！

他的詩作，實在也是以豪邁曠達者居多，現略舉一二，以見一斑：

吾州下邑生劉季，誰數區區張與李。重瞳遺跡已塵矣，
惟有黃樓臨泗水。而今太守老且寒，俠氣不洗儒生酸。
猶勝白門窮呂布，欲將鞍馬事曹瞞。　（〈答范祖禹〉）
我家江水初發源，宦遊直送江入海。聞道潮頭一丈高，

> 天寒尚有沙痕在。　　　　　　　　（〈遊金山寺〉詩句）
> 何年白竹千鈞弩，射殺南山雪毛虎。至今顱骨帶霜牙，尚作四海毛蟲祖。　　　　　　　　（〈起伏龍行〉詩句）
> 吟詩莫作秋蟲聲，天公怪汝鉤物情，使汝未老華髮生。芝蘭得雨蔚青青，何用自燔以出馨。
> （〈次韻答劉涇〉詩句）
> 少年好遠遊，蕩志逸八荒，九夷為藩籬，四海環我堂。
> （〈和陶擬古〉詩句）
> 小兒少年有奇志，中宵起坐存《黃庭》。近者戲作〈凌雲賦〉，筆勢髣髴〈離騷經〉。
> （〈游羅浮山一首示兒子過〉詩句）
> 海山蔥曨氣佳哉！二江合處朱樓開。蓬萊方丈應不遠，肯為蘇子浮江來！　　　　　　（〈寓居合江樓〉詩句）

雖非盡馳騁疆埸之思，然亦盡抒其嘯傲今古之概。他的詞，就更是縱橫奔放，飄逸不群了，胡寅說他：「一洗綺羅澤薌之態，擺脫綢繆宛轉之變，使人登高望遠，舉首高歌，而逸懷浩氣，超乎塵垢之外。」他的詞，如：

> 大江東去，浪淘盡千古風流人物。故壘西邊，人道是三國周郎赤壁。亂石崩雲，驚濤裂岸，捲起千堆雪。江山如畫，一時多少豪傑。　遙想公瑾當年，小喬初嫁了，雄姿英發。羽扇綸巾，談笑間，強虜灰飛湮滅。故國神遊，多情應笑我早生華髮。人生如夢，一尊還酹江月。　　　　　　（〈念奴嬌——赤壁懷古〉）

這一首詞，就是膾炙人口的，被譽為：「要以關西大漢，用鐵板銅琵，高唱大江東去！」創豪邁詞風的代表作了。又如：

> 老夫聊發少年狂，左牽黃，右擎蒼。錦帽貂裘，千騎卷平岡。為報傾城隨太守，親射虎，看孫郎。　酒酣胸膽尚開張，鬢微霜，又何妨？持節雲中，何日遣馮唐？會挽雕弓如滿月，西北望，射天狼！
>
> （〈江神子——獵詞〉）

又如：

> 旌旗滿江湖，詔發樓船萬舳艫。投筆將軍應笑我，迂儒。帕首腰刀是丈夫！　粉淚怨離居，喜子垂窗報捷書。試問伏波三萬語，何如？一斛明珠換綠珠。
>
> （〈南鄉子——贈行〉）

真是雄風萬里，倜儻風流之作。

最後，來談南宋的詞人辛棄疾：

辛棄疾，原字坦夫，又字幼安，號稼軒，濟南歷城人。生於南宋高宗紹興十年，那時，他的故鄉淪陷已久，他就是生長在金人統治之下的故鄉。他雖生長在淪陷區，但他卻不願作金人統治下的亡國奴，他在他的祖父辛贊的教導啟發下，逐漸激起了為民族復仇的觀念和南歸的熱誠！

他在二十歲的時候，曾為義軍首領耿京擒殺投機份子義端和尚。為了為耿京報仇，以五十騎兵逕向擁有五萬多兵的金營去捉拿漢奸張安國，押解到建康向宋高宗獻俘，明正典刑，他和那批青年志士們便留在南方為政府效力。

最不幸的，他的南歸，是志在「收復中原」，而南方卻不是個有為的政府，社會上充滿著一片苟安的氣氛。自岳飛被害死之後，主和派的勢力非常的大，他雖向孝宗上過著名的〈美芹十論〉，並向虞允文獻〈九議〉，主張備戰，但因和議初成，這一主張當然沒被當局採用。他是一位文武兼資的將才，大志未伸，只能在江南屈身為吏，但他仍敢作敢為，不避勞怨，勇於建功，終至被當道所忌，屢遭參劾。他個人的處境及國家的命運都遭遇到極大的不幸，故他的作品一面是悲壯蒼涼以寄慨；一面是謳歌自然以抒情。他的時代，正如我們所處的時代；他的忠憤的心情，一如我們大家愛國反共的心情；所不同的，就是我們有一個志復大陸立場堅定的大有為的政府，而他卻沒有這樣好的際遇。

現在，試看他的作品：

〈鷓鴣天〉（有客慨然談功名，因追念少年時事，戲作）：

> 壯歲旌旗擁萬夫，錦襜突騎渡江初。燕兵夜娖銀胡觮，漢箭朝飛金僕姑。　追往事，嘆今吾，春風不染白髭鬚。卻將萬字平戎策，換得東家種樹書。

主旨甚明，自見其老驥伏櫪、壯懷未已之志趣。

〈永遇樂〉（京口北固亭懷古）：

千古江山，英雄無覓孫仲謀處。舞榭歌臺，風流總被雨打風吹去。斜陽草樹，尋常巷陌，人道寄奴曾住。想當年，金戈鐵馬，氣吞萬里如虎！　元嘉草草，封狼居胥，贏得倉皇北顧。四十三年，望中猶記，烽火揚州路。可堪回首，佛狸祠下，一片神鴉社鼓。憑誰問，廉頗老矣，尚能飯否？

眺望北方故土，思興復中原，雖如廉頗之老矣！尚思為國出力，尚能氣吞如虎！我們怎能不為詩人的忠肝義膽以及他的無可如何的遭遇一掬同情之淚呢！

再看他的〈破陣子〉（為陳同甫賦壯詞以寄之）：

醉裏挑燈看劍，夢回吹角連營。八百里分麾下炙，五十絃翻塞外聲。沙場秋點兵！　馬作的盧飛快，弓如霹靂弦驚！了卻君王天下事，贏得生前身後名。可憐白髮生。

〈清平樂〉（獨宿博山王氏菴）：

遶牀飢鼠，蝙蝠翻燈舞。屋上松風吹急雨，破紙窗間自語。　平生塞北江南，歸來華髮蒼然，布被秋宵夢覺，眼前萬里江山。

抑鬱蒼涼，令人為之氣結。再看他的〈水龍吟〉（為韓南澗尚書壽，甲辰歲）：

> 渡江天馬南來，幾人真是經綸手？長安父老，新亭風景，可憐依舊。夷甫諸人，神州沈陸，幾曾回首？算平戎萬里，功名本是，真儒事，君知否？　況有文章山斗，對桐陰滿庭清晝。當年墮地，而今試看，風雲犇走。綠野風煙，平泉草木，東山歌酒。待他年整頓，乾坤事了，為先生壽。

「算平戎萬里，功名本是，真儒事！」詩人是何等的襟抱？我們所處的時代較他們的時代更艱危，國家面臨的命運比他們的處境更險惡！當我們在苟且偷安時！當我們在墮落腐化時！當我們在只計私利私害時！當我們在只知問舍求田追逐享受時！當我們在骯髒邋遢地學習邪痞（Hippie）時，我們能不自覺渺小，能不愧對古人嗎?!

有人以為淵明先生的境界可分四個階段：第一是「猛志逸四海」；第二是「冰炭滿懷抱」；第三是「復得返自然」；第四是「不覺知有我」。這，我不敢苟同，如依此說，那麼淵明的境界根本就是自求解脫的禪的修為，根本就不成其為淵明思想了。國仇未報，人心日靡，像淵明那樣至情的人，其激動的「猛志」，絕不可能因歲月的磨練而「自然」消失的。試觀辛棄疾晚年的作品：「管竹、管山、管水」「靜處閒看」之餘，不也充滿了「書咄咄、且休休」「追往事、嘆今吾」的悲壯蒼涼之嘆嗎？吳稚老是自然放達之人，逝世前遺命海葬金門以近大陸；于髯公飄然一若神仙，臨終前囑葬玉山之巔望大陸以痛哭。烈士之心，雖白首仍如赤子，我們怎可以年輪去區分他們的境界呢？須知唯有大英雄始有至性；唯有大詩人才能謳歌自然，深窮造化之美，譜出愛國的詩歌，表現民族的心聲語韻，作出有血淚有生命的作品。這就是證明他們底真精神！這就是證明他們底不朽的價值！

我們絕不能承認那些豪邁愛國的作品，只是他們少年時一時的血氣之作！

三、超脫放達的境界及其影響

前面說過，淵明生遭無可如何之世，值綱常失墜之際，卻能頤志葆真，素心靖節，不汲汲於富貴，不戚戚於貧賤，這當然得力於他的一種放達超脫的素養，這種素養的境界如何呢？我們試看他的〈飲酒詩〉中的一章：

> 結廬在人境，而無車馬喧。問君何能爾？心遠地自偏。
> 采菊東籬下，悠然見南山。山氣日夕佳，飛鳥相與還。
> 此中有真意，欲辨已忘言。

「結廬在人境，而無車馬喧」、「心遠地自偏」這種超脫的襟懷，已能目五光十色而不亂，聞石破天驚而無恐。自不是靠靜修打坐以自持，避地山林以自守者所可比擬；更不是假託「樂土」、「天堂」以自慰，設膜拜形式以自安的那些「目不見色，心皆是色」的俗流所可望其項背的了。唯其如此超脫，始能有其和而不同、涅而不淄的襟度和節操；唯其如此超脫，才能忘名卻利，率性天真，因為「真意會心」，以言辨之也是多餘的事了。

他雖然有〈桃花源記〉似乎避世。摩詰、東坡、稼軒亦多有作品表示嚮往其境，然而淵明視現實生活如何呢？「好讀書，不求甚解，每有會意，便欣然忘食。」「簞瓢屢空，晏如也，常著文章自娛，頗示己志，忘懷得失。」(〈五柳先生傳〉)「若先醉，便語客：我醉欲眠，卿可去。」「不解音聲，而蓄素琴一張，無絃，每有酒適，輒撫弄以寄其意。」(《宋書・隱逸傳》）他的行徑、風骨，在今日而言，真是一個獨來獨往的存在主義者（Fxistentialsm）啊！

他的〈飲酒詩〉的另一章：

> 故人賞我趣，挈壺相與至。班荊坐松下，數斟已復醉。
> 父老雜亂言，觴酌失行次。不覺知有我，安知物為貴。
> 悠悠迷所留，酒中有深味。

「不覺知有我，安知物為貴」和他的〈神釋〉一詩中句云：「甚念傷吾生，正宜委運去，縱浪大化中，不喜亦不懼。」何者為我？何者為物？惟至情至仁者能覺其不可分的境界，這種思想，似已著道家「自然」、「齊物」痕跡，但何嘗又不是儒家天人合一，「不憂」、「不惑」、「不懼」、「從心所欲」的本來？這種物我難分的至人境界，受他影響最深的愛國詞人辛棄疾的一首「遣興」詞，表現得最為生動，他說：

> 醉裏且貪歡笑，要愁那得功夫？近來始覺古人書，信著全無是處。　昨夜松邊醉倒，問松我醉何如？只疑松動要來扶，以手推松曰「去」。　　（〈西江月〉）

這是多麼的灑脫、率真、可愛的境界！

歷代詩人，循莊生夢跡，謳歌自然，求意識超脫者頗不乏人，而於門第子嗣之宗法思想，卻往往不能突破；而淵明則不然，他宅志高曠，視世事無一可介於心者。我們試觀他於〈命子〉詩中敘述了「悠悠我祖」之後，寄望諸兒「夙興夜寐，願爾斯才」，然淵明洞悉世事未必必然，於最後也只是說「爾之不才，亦已焉哉」了。他在〈與子儼等疏〉、〈祭程氏妹文〉、〈祭從弟敬遠文〉等篇中，孝慈之思，友于之情，洋溢滿紙，在在都表現出儒家的宗法思想。然於〈與子儼等疏〉篇中，勉儼等孝友之餘的收束語卻說：「汝其慎哉！吾復何言？」「吾復何言」、「亦已焉哉」語意，似有無奈之情，但卻又多麼顯示出一位長者寬容、慈愛、幽默、期待、開朗和超脫的襟懷！他的另一首〈責子詩〉說：

> 白髮被兩鬢，飢膚不復實。雖有五男兒，總不好紙筆。阿舒已二八，懶惰故無匹。阿宣行志學，而不愛文術。雍端年十三，不識六與七。通子垂九齡，但覓梨與栗。天運苟如此，且進杯中物。

黃山谷讀此詩，以為淵明「慈祥戲謔可親」。張廷玉以為淵明襟懷曠達，高出塵壒之表」，甚為得之。全篇鬱結，在以

「且進杯中物」一句化解，充分顯現出淵明底廓然大我，與人無爭，對自己子女亦不苛求的雅量，能拓展他此種超脫境界的，也以辛棄疾最為生動深刻，〈稼軒長短句〉中有兩闋詞最為神似：

〈清平樂〉：

> 茅簷低小，溪上青青草。醉裏吳音相媚好，白髮誰家翁媪？　大兒鋤豆溪東，中兒正織雞籠，最喜小兒無賴，溪頭看剝蓮蓬！

〈西江月〉（示兒曹以家事付之）：

> 萬事雲煙忽過，百年蒲柳先衰。而今何事最相宜？宜醉、宜遊、宜睡。　早趁催科了納，更量出入收支。迺翁依舊管些兒，管竹、管山、管水。

「最喜小兒無賴，溪頭看剝蓮蓬」，「迺翁依舊管些兒，管竹、管山、管水」。這種雅量，不僅在向重宗法主義的我國知識份子中甚為少見，置之世界思想界中，恐怕也是不可多覯的，我國捨老莊思想講「無知無欲」、「安時處順」而外，就連北宋大儒程明道（顥）先生雖有「萬物靜觀皆自得，四時佳興與人同」那樣超脫的名句，但對自己的子弟，恐怕也得課之以德性，導之以問學，絕不如此寬假優容，以「靜觀萬物」的態度等閒對之的。因為一個人縱然修為到忘名卻利，甚至「忘我」的境界，然對其子嗣總難免與列祖列宗血食所寄之思，慌然有責其「毋忝所生」之意，雖非儒家，有人性者，亦莫不有此傾向。

淵明的境界，也就是孔子「毋固，毋我」的極致，有些境界，乃能履坎坷、步荊棘，居困不憂，處逆如常，無往而不自得了。這種境界，王維在他的〈終南別業〉一詩裏表現得極為灑脫，他說：

> 中歲頗好道，晚家南山陲。興來每獨往，勝事空自知。
> 行到水窮處，坐看雲起時。偶然值林叟，談笑無還期。

有此「行到水窮處，坐看雲起時」的超脫胸襟，有此幽默風趣的人生態度，中國知識份子乃能涵養出一種特有的溫藉和平的氣質，和圓融周洽的處世觀。於事功方面：用之則行，履其志，行其道；舍之則藏，高其操，潔其身。絕不肯去翻雲覆雨以巧取豪奪，降志辱身以竊位沽名。常人以為淵明這種思想過於消極，殊不知這正是他積極思想的另一面。知識份子對國家、社會，應持有為有守的責任感，能為固可福國利民，能守又何嘗不能立言弘道，為國家保留元氣？設因一時人、地不宜，又不知退守而養晦韜光，乃進而勉力強求，則難免不附從群小，黨同伐異，計私利而忽公利，計私讐而忽公害，其貽害於國家社會的，又何可以道里計？所以孔子避人而不避地，儒家的隱居，乃是不得已中的待時過渡的行為；淵明他們則進一步地使此不得已化為適性自然，放懷天地以外，寄情山水之中，把現實環境的痛苦完全解脫，而另闢蹊徑，開創心靈上的自得之境，不忮不爭。這也正是西方功利主義者們日處得喜失憂的桎梏中，所不可思議的一種境界！中國知識份子之能不為己爭！中國知識份子之能不計一時的得失，能行能藏，淵明他們底思想，自有其不可磨滅的貢獻！

四、幽雅澹泊的襟懷及其影響

前面所述淵明他們超脫放達的素養，既非玄學的，也非道學的，更非宗教的，那是他們的天地裡別有一種財富，這些財富充塞了他們心靈，使他們富有，使他們充實，使他們飄逸，使他們達觀，我們試觀淵明自己的敘述：

孟夏草木長，遶屋樹扶疏。眾鳥欣有託，吾亦愛吾廬。
既耕亦已種，時還讀我書。窮巷隔深轍，頗迴故人車。
歡言酌春酒，摘我園中蔬。微雨從東來，好風與之俱。
汎覽周王傳，流觀山海圖。俯仰終宇宙，不樂復何如？
（〈讀山海經〉）

秋菊有佳色，裛露掇其英。汎此忘憂特，遠我遺世情。
（〈飲酒詩〉句）

開荒南野際，守拙歸園田。方宅十餘畝，草屋八九間。
榆柳蔭後簷，桃李羅堂前。（〈歸田園居〉句）

有酒有酒，閒飲東窗！（〈停雲詩〉句）

爾從山中來，早晚發天目，我屋南窗下，今生幾叢菊？
（〈問來使〉）

引壺觴以自酌，眄庭柯以怡顏。倚南窗以寄傲，審容

膝之易安。……雲無心以出岫，鳥倦飛而知還。景翳翳以將入，撫孤松而盤桓。 （〈歸去來兮辭〉）

再看王維的敘述：

倚杖柴門外，臨風聽暮蟬。 （〈贈裴迪秀才〉）
明月松間照，清泉石上流。 （〈山居秋暝〉）
流水如有意，暮禽相與還。 （〈歸嵩山作〉）
松風吹解帶，山月照彈琴。 （〈酬張少府〉）
泉聲咽危石，月色冷青松。 （〈過香積寺〉）
山中一夜雨，樹梢百重泉。 （〈送李使君〉）
江流天地外，山色有無中。 （〈漢江臨眺〉）

再看東坡的敘述：

牛健民聲喜，鴉嬌雪意酣。 （〈立春呈李端叔〉）
處處野梅開，家家臘酒香。 （〈殘臘獨出〉）
水生挑菜渚，煙濕落梅村。 （〈新年五首〉）
仰看雲天真箬笠，旋收江海入簑衣。（〈西塞風雨〉）
游遍錢塘湖上山，歸來文字帶芳鮮。（〈送鄭戶曹〉）
豈如吾蜀富冬蔬，霜葉露芽寒更茁。久拋松菊猶細事。苦筍江豚那忍說。明年投劾徑須歸，莫待齒搖並髮脫，（〈春菜〉）

惟江上之清風，與山間之明月，耳得之而為聲，目遇之而成色，取之無禁，用之不竭。 （〈前赤壁賦〉）

幸對清風皓月，苔茵展，雲幕高張。江南好，千鍾美酒，一曲〈滿庭芳〉。（〈滿庭芳〉）

林斷山明竹隱牆，亂蟬衰草小池塘，翻空白鳥時時見，照水紅蕖細細香。　村舍外，古城旁，杖藜徐步轉斜陽。殷勤昨夜三更雨，又得浮生一日涼。

（〈鷓鴣天〉）

買田陽羨吾將老，從來只為溪山好。來往一虛舟，聊隨物外遊。　有書仍懶著，水調歌歸去。筋力不辭詩，要須風雨時。（〈菩薩蠻〉）

湖山信是東南美，一望彌千里。使君能得幾回來？便使尊前醉倒且徘徊。　沙河塘裏燈初上，水調誰家唱？夜闌風靜欲歸時，惟有一江明月碧琉璃。

（〈虞美人〉）

手種堂前桃李，無限綠陰青子，簾外百舌兒，驚起五更春睡，居士！居士！莫忘小橋流水！（〈如夢令〉）

我們再看辛棄疾的敘述：

我見青山多嫵媚，料青山見我應如是。（〈賀新郎〉）

剪竹尋泉，和雲種樹，喚做真閒箇。（〈念奴嬌〉）

東岸綠陰少，楊柳更須栽。（〈水調歌頭〉）

一條垂柳，兩箇啼鴉。　人家，疎疎翠竹，陰陰綠樹，淺淺寒沙。（〈玉蝴蝶〉）

千峰雲起，驟雨一霎兒價。更遠樹斜陽，風景怎生圖畫？青旗賣酒，山那畔別有人家。只消山水光中，無

事過者一夏。　午睡醒時，松窗竹戶，萬千瀟灑。野鳥飛來，又是一般閒暇……。（〈醜奴兒近〉）

一尊遐想，剩有淵明趣。山上有停雲，看山下濛濛細雨。（〈驀山溪〉）

一川松竹任橫斜，有人家，被雲遮。雪後疎梅，時見兩三花。（〈江神子〉）

連雲松竹，萬事從今足。柱杖東家分社肉，白酒牀頭初熟。　西風梨棗山園，兒童偷把長竿。莫遣旁人驚去，老夫靜處閒看。（〈清平樂〉）

明月別枝驚鵲，清風半夜鳴蟬。稻花香裏說豐年，聽取蛙聲一片。　七八箇星天外，兩三點雨山前。舊時茆店社林邊，路轉溪橋忽見。（〈西江月〉）

幾箇輕鷗，來點破一泓澄綠。更何處一雙鸂鶒鳥，故來爭浴。細讀〈離騷〉還痛飲，飽看脩竹何妨肉？有飛泉日日供明珠，五千斛。　春雨滿，秧新穀。閑日永，眠黃犢。看雲連麥隴，雪堆蠶簇。若要足時今足矣，以為未足何時足？被野老相扶入東園，枇杷熟。（〈滿江紅〉）

限於篇幅，僅約略舉出他們每個人的代表性的詩詞或作品中的斷句，已可見其堂廊之美、百官之富了。然他們的這些財富，綜括起來，不外是些青山、綠水；黃菊、孤松；疏梅、脩竹；東籬、南窗；好風、微雨；明月、清泉；素琴、濁酒；遠樹、斜陽而已！他們擁有的這些財富，本來是屬於大家的，但世俗卻視之不見，認為毫無價值；世俗攘爭的財富，他們卻等閒視之，認為是役心的累贅。世俗所爭的是有價之物，故必須付出代價，因為要付代價，得之心勞力絀，故容易不擇手段，眼光愈來愈短淺，心胸愈來愈狹窄，良知愈來愈斲喪，品格愈來愈卑下，欲役萬物而為萬物所役而不自覺！淵明他們擁有的則屬天然的財富，不需錢買，不需物換，不需智取，更不需力爭！但能杖藜南畝，漫步西園，即可仰觀青天白雲，俯視小橋流水，所以他們的心胸才能愈來愈開朗，志節才能愈來愈高潔。豪情、逸興、澹泊、溫和，發為詩篇，無論是慷慨悲歌，抑是淺斟低唱，都能跌宕天成，渾然無跡。因為他們心中都是詩，眼前都是畫，所以他們才能對山水有至情，對國家有真愛，這種境界，自是問舍求田之輩所不能領略的。

蔡孑民先生當年曾主張以藝術代宗教，因為藝術較宗教更能予人以一種美與力的心靈上的安慰，它們都是憑藉理性與科學以外的一種信念與狂熱。然真正的藝術境界，不是在畫一幅畫，也不是在譜一首歌曲，而是在心靈上的感受，如隨筆構圖，倚聲高唱，如不能會其境界，那麼充其量只不過是一個畫匠歌伶而已！唯有淵明他們這種境界，才是真正藝術的境界，才能表現藝術的人生，才能表現優美的生活，也才能激發出一份高貴的犧牲的情操！

五、淵明思想的本來面目

筆者一連臚列了上列這些文字，只作浮泛的介紹，而未作細密的排比，嚴格地說，硬把後面三位詩人列為陶氏詩派是不太科學的，缺乏邏輯基礎而接近武斷的。但我底基本願望也只願讀者們能得到一個概念，那就是從他們四位的作品中，所表現的人生觀或宇宙觀幾乎是一致的。無可否認地，他們的思想都受了些許或佛或道的影響（這根本就是個纏訟不清的問題，還不是有人說宋儒理學也是熔儒佛道於一爐的），但他們底本來面目卻是道道地地的儒家的。宋西山真德秀說他：「淵明之學，正自經術中來。」是為至言。梁任公說淵明：「雖生長在玄學佛學氛圍中，但一生得力處和用力處都在儒學。」我最服膺他這一句真知灼見的話。我們從淵明他們的作品中，可得到幾個基本的認識：

（一）淵明的超脫，並不等於佛老的解脫

淵明他們的「超脫」，只是從名利中超脫出來，表現真我，放達適性，但他們並不忘情社會，或放棄對國家的責任。反之，他們卻是極端的熱愛人生，追求真理的「用之則行，舍之則藏」、「邦有道，則現；邦無道，則隱」、「有為有守」的儒家思想的實踐者。所以他們的作品淡泊中有豪邁，寧靜中有激動。佛老則不然，釋氏的「涅槃」境界是在求不生不滅的圓寂，旨在解脫生命的痛苦。老氏「患吾有身」，亦惟厭棄爭奪，要人無知無欲而歸本虛無。佛老與淵明思想兩者在本質上就有其差異，一是天道的，一是人道的，這也就是韓退之不能接受佛老而痛斥之的癥結，因為佛老思想可以冥思而行之則有悖人道的，淵明思想行之不止有益於世道人心，且大有益於政治革新及改良社會風氣的。

（二）淵明的避世，並不等於佛老的出世

淵明他們澹泊名利，而放懷天地；厭棄浮塵，而寄情山水，觀松賞菊，飲酒賦詩，盡情享受自然之美，他們眼中有世界，心中有世界，他們的「出世」只不過是擺脫世俗的名利界，又何嘗一日忘情於現存的人世界？釋氏則不然，世傳釋尊嘗於靈山拈花示眾，惟摩訶迦葉破顏微笑，釋尊乃將正法眼藏涅槃妙心傳之，迦葉二十八傳至達摩。達摩東來，於嵩山傳心印於慧可，慧可四傳而有弘忍（五祖），五傳有神秀、慧能（六祖）二師，於是禪分南北，禪道大行——拈花微笑，事見《宗門雜錄》。《雜錄》之書，《大藏》雖未錄，啟人之疑，然自亦非無稽之談。然如禪果以「拈花微笑」傳其心法，就已違背了「無我相，無眾生相」的旨趣了。慧能說法，亦主「菩提非樹，明鏡非臺，本無一物」之說，因佛家另有天地，故其認定現世是虛幻的，人生是渺茫的，故力求心眼均無一物，達於涅槃。人說淵明「結廬在人境，而無車馬喧，問君何能爾？心遠地自偏」、「采菊東籬下，悠然見南山」詩句甚受禪的影響，我則不敢苟同，因事實亦無可能者。淵明雖曾與僧人往還，但事實如何呢？《蓮社高賢傳》記載說：「（潛）常往來廬山，時遠法師與諸賢結蓮社，以書招淵明，淵明曰：『若許飲，則往。』許之，遂造焉，忽攢眉而去。」《廬阜雜記》也說：「遠師結白蓮社，以書招淵明，陶曰：『弟子嗜酒，若許飲，即往矣。』遠許之，遂造焉，因勉令入社，陶攢眉而去。」李元中《蓮社圖記》也說：「遠公結社廬山，陶潛時棄官居栗里，每來社中，或時

纔至，便攢眉迴去。」從這些記載裏，已可見具備儒家思想的淵明先生和佛道間在形式上的隔閡和距離了。另外有一點不可不明的，禪宗大興乃在六祖，為時已在初唐，後先自不可倒置。且對自然本體之認識，根本互異其趣，淵明除愛自然山水之外，於人事且極愛老翁之閒情逸性，愛村童的自得其樂，故他能發而更強烈地熱愛國家，熱愛社會了。我常常以為一個不能仰觀青天白雲，俯視青山綠水之美的人，他又怎能興起故國山河之戀，和祖宗廬墓父桑母梓之思呢?!

（三）佛老的修為是毀情滅性的，淵明他們則是多情率性的

佛老他們的心目中是不存現世及人生的，他們認為有現世及人生即是墮落，即是痛苦。淵明他們的作品中則無處不是表現人生，讚美世界的。具體的說：佛老的心目中，是無情、無物、無世界的；淵明他們的心目中，則不止有情、有物、有世界，而且對世界更有其最強烈的情和愛的！我們如說佛陀是全然無情的也是不公正的，佛陀是於己絕情而也悲憫眾生主張普渡眾生的，但其旨趣，也只限於導人向善以修為，滅性以證果的。淵明則不然，一面縱情詩酒以適性，一面則悲歌慷慨以憂世傷時，故淵明所表現的只是儒家「不入污世」而卻「難忘社稷」的積極思想的一體底兩面，他的「超脫」乃是求其精神生活的內涵更見充實，生命價值更見光輝，故失意時能澹然自處，激憤時則能志在萬里，我們又怎能從皮相去評定淵明他們底思想是消極的呢！

佛老以人生為苦、為不潔、為無常，故主刻苦修行，羽化特立入天際之想，這乃產生了輕視人生、作賤人生的逃避

現世的想法與作法。淵明他們則尊重自然，尊重自然界萬物自得的天趣。讀淵明〈責子詩〉「懶惰故無匹」、「不識六與七」、「但覓梨與栗」那份無可奈何、那份幽默的句子，及辛稼軒的「最喜小兒亡賴，溪頭看剝蓮蓬」、「西風梨棗山園，兒童偷把長竿，莫遣旁人驚去，老夫靜處閒看」、「我倒無何，卻聽農家陌上歌」、「悠悠興廢不關心，惟有沙洲雙白鷺」、「我見青山多嫵媚，料青山見我應如是」、「北窗高臥，莫教啼鳥驚看」的句子，我不禁自然地想起美國早期謳歌自然的詩人華而特・惠特曼（Walt Whiman）來，他在他的〈我自己的歌〉那首詩裡說：

我相信一片草葉不少於繁星每日所作的工作，
而蟋蟀也是同樣的完美，
還有一粒的砂和鷦鷯的卵也是如此。
雨蛙乃是最高等的物件。
攀牆附筆的黑莓可以點綴天上的客廳。
我手上最小的骨節勝過一切的機械！
垂頭咀嚼的老母牛勝過一切的銅像。
老鼠是一種奇蹟，
能教不信宗教的人對於他也躇躊不敢有言！
…………

唯有他如此的尊重自然，唯有他如此的尊重世界的生命是如此的神聖和莊嚴，可以和淵明他們的境界相近。英國詩人雪萊（Percy Bysshe Shelley）的作品雖也謳歌雲雀，濟慈

（John Keats）、王爾德（Oscar Wilce）的作品雖也讚美夜鶯，但他們仍是從「人」的座標去欣賞牠們！「雲雀」、「夜鶯」只是詩人們想像的「優越」和「美好」，或者說牠們只是詩人們心靈上模擬的一種偶像或溺愛的玩偶而已（如帝俄詩人之於海燕）！還沒有淵明他們對自然界的生命是那樣深刻地體認和尊重。

故淵明的境界不止不同於禪，且已跳出了一切窠臼，有其舉世不可企及的成就。因它導人入超脫的境界而不走上虛無，給人以實質美好的世界，而不僅予人以幻想的滿足，這是我要特別為林君辨明的一點。

六、淵明心靈的境界對人類文化的貢獻

(一) 淵明思想底靜中有動，才是儒家的「天人合一」、「行健自強」的基本精神

有此精神，才能產生「行」的力量，挽救危亡。古來高度文明的國度，卻往往不能見容於外來的暴力，走上被侵略、征服、屠殺與覆亡的命運。故巴比侖雖極早就有曆法、楔形文字的發明，但先亡於亞述，再亡於波斯。希臘哲學、藝術都極發達，而不斷受波斯的侵略，復受制於馬其頓，先亡於羅馬，再亡於土耳其。羅馬建築、雕刻、藝術均極發達，而受侵略於高盧，覆亡於土耳其。印度哲理湛深，首則受制於亞歷山大大帝及回族，繼則淪亡於大不列顛帝國。就我國歷史來說：西周文化發達，曾受犬戎覆國；兩漢國力伸

張，而時受匈奴侵擾；魏晉談玄，而騷亂於五胡；盛唐是詩的黃金時代，而有安史之亂；北宋是詞的黃金時代，而敗亡於女真；至於南宋臨安，該是詩酒歌舞的局面了，但卻擋不住元人的彎刀硬矢；盛明雜劇興起，詞新樂美，也滅亡於滿清的強弩鐵騎之前。因為世居清平，知識份子乃追求心靈的享受（也可說是求心靈的解脫，縱情詩酒，也是求解脫的一種方式，如劉伶、阮籍、李白是），他們的心靈愈想接近自然，肉體行徑卻愈違反自然，狂放怠惰，視功名為糞土，視勤勞為墮落，甚至視宦途為罪惡，自求心靈的解脫，忽視整體的存在，終至神釋志消，身羸體弱，無病呻吟，書空咄咄，流毒所及，則至國弱民疲，自不能抵禦外來的侵略了。所以高度的文化對內固可求它形式上的靜態的和平，但由於它偏向個性的發展和個別的活動而瓦解了整體的力量，甚至造成內部的衝突而不能見容於世界！（今之享受高度自由，過著奢侈生活，而濫發左傾論調者亦正在扮演著這類悲劇的角色。）

淵明他們底心靈設如只限於追求一己的解脫，那麼在今日也就沒有值得重視的價值了。他們的完美處，乃在他們一面對污濁的政風及卑鄙的內爭，表示其厭棄與排斥；而一面又憂慮著國家社會的前途。像淵明的「羲農去我久，舉世少復真」（〈飲酒篇〉）、「先師有遺訓，憂道不憂貧」（〈癸卯始春懷古田舍〉）、「歷覽千載書，時時見遺烈」（〈與從弟敬遠〉）、「朝與仁義生，夕死復何求」（〈詠貧士〉）、「精衛銜微木，將以填滄海」（〈讀山海經〉）。王摩詰的「縱死猶聞俠骨香」（〈少年行〉）、「忘身報鳳闕，報國取龍庭」、「豈學書生輩，膍間老一經」(〈送趙都督赴代州〉)。蘇東坡的「會挽雕弓如滿月，西北望，射天狼」(〈江神子〉)、「投筆將軍應笑我，迂儒。帕首腰刀是丈夫」(〈南鄉子〉)。辛稼軒的「金戈鐵馬，氣吞萬里如虎」(〈永遇樂〉)、「漠開邊，功名萬里」(〈八聲甘州〉)、「八百里分麾下炙，五十絃翻塞外聲，沙場秋點兵。……了卻君王天下事，贏得生前身後名」(〈破陣子〉)、「無限江山行未了，父老，不須和淚看旌旗」(〈破陣子〉)、「何處望神州，滿眼風光北固樓」(〈南鄉子〉)。他們一面靜靜地體會自然之美，謳歌它們，讚美它們，表現它們，享受它們；而一面又憂慮著如何長期地保全它們的存在與美好，不只求一己心靈的美，而且求整體調和的美，不只求一時一世的美，而且求持久永恆的美。故而澹泊中見豪邁，平靜中見激動，一面淺斟低吟，一面悲歌慷慨，低吟是心靈的內涵，愛美是人性的流露；悲歌是行健的鼓舞，是天道的律動；歡樂、自信，以保天和；奮發、自強，以弘天道，真正達到了天人合一的「和諧」(Harmonious)的境界。故今日的知識份子，也應該像淵明他們從物慾中超脫出來，保全真我，不為物慾所陷！回到自然；一面卻須從「自我」中超脫出來，貢獻自己，甚至犧牲自己，以保衛本國本土的優美的文化，投身於為國家為民族爭生存的陣線，作國防、經濟、外交、文化事業方面的鬥士！

(二)淵明唯美心靈所激發的犧牲的情操，才能孕育保衛自由的鬥士

前文說過，淵明他們所表現的，全然是藝術化的人生，

唯有藝術的人生，為了追求完美，才能產生高貴犧牲的情操，激發犧牲的勇氣，然後才能塑造成頂天立地的民族英雄，達到美育的最高境界。我們環顧世界所有的文明古國，如巴比侖、希臘、羅馬、印度等，有的已成歷史名詞，有的則是一蹶不振。我國則不然，歷史上雖也曾兩度覆亡，但像岳武穆、文信國公，都能在悲歌慷慨、詩酒之中，起義勤王，馳騁疆場，取義成仁。鄭成功雖有火焚儒服之舉，但也正是他化悲憤為力量的卓絕的行徑，只因為酷愛故國山河之美，乃能化為一腔海天孤憤，化為死守南疆與清廷對抗四十年的力量，這種力量，雖然來自儒家理性而啟發，但何嘗不受淵明思想的影響？如淵明的「重離照南陸，鳴鳥聲相聞。秋草雖未黃，融風久已分」（〈述酒〉）的悲憫，王摩詰的「詩中有畫，畫中有詩」的飄逸，蘇東坡的「江上之清風，山間之明月，耳得之而為聲，目遇之而成色」（〈前赤壁賦〉）、「江山如畫，一時多少豪傑」（〈念奴嬌〉）的壯闊，辛稼軒的「布被秋宵夢覺，眼前萬里江山」（〈清平樂〉）的眷念。生命已與自然膠合為一體，為求大我的永生，為保自然的完美，乃能萬死而不辭，粉身碎骨摩頂放踵也不以為苦了。

革命先烈女俠秋瑾，因有「竟有危巢燕，應憐故國駝」（〈感事〉）、「莽莽神州嘆陸沈，救時無計媿偷生」（〈感懷〉）、「祖國陸沈人有責，天涯飄泊我無家」（〈感時〉）、「小住京華，早又是中秋佳節，為籬下黃花開遍，秋容如拭」（〈滿江紅〉）的感觸，乃能產生「身不得男兒列，心卻比男兒烈」、「義高不礙客囊貧」、「把劍悲歌涕淚橫」、「儒士思投筆，佳人欲負戈」的犧牲情操。黃花岡烈士林文愛題「時有隨我行」詩句，並作「秋風起萬戶，不見漢人家」(〈秋聲〉)、「蹈海何曾能避帝，登樓無處不思家」(〈舟中寄東京同志〉)、「入夜游雲猶蔽月，護林殘葉忍辭枝」(〈留別同志〉)，才能產生「僕本傷心者」、「墜作自由花」的意志了。陳更新烈士有「至今舊壘依然在，空對河山憶漢王」(〈過洪王舊壘〉)。由「關前戎馬風塵起，海內風雲大劫初」(〈感懷〉) 的感觸，才能產生：「頭顱拍拍羞無價，三十當前好自為。」(〈偶題〉) 羅仲霍烈士的「情天有憾何時補？恨海無聲永夜流」(〈感懷〉)，有「四海風雲成浩劫，九霄鴻鵠自翱翔」(〈游越南作〉)、「忍見銅駝臥荊棘？神州遍地劫灰飛」(〈辛亥留別同志〉) 的感觸，才能產生了「百年氣燄悲胡虜，萬古精忠痛鄂王」、「願將鐵血造世界，亞陸風波倩汝平」的豪情壯志了。

七、結語

佛典淵深，道藏玄冥，筆者以一介曲士傖夫，何敢妄事訾議？所以敢冒大不韙，不辭譴責而為此文者：一是不願淵明先生他們永受千古之訣，詆為消極，讓大家明白他們的思想雖也曾出入佛道之間，但他們底本來卻是道地的儒家面目，我並非是一個泛儒家主義論者，事實上淵明不僅具備儒家仁愛的胸懷，他的所有的作品中莫不洋溢了儒家底思想，謂予不信，願大家一讀陶集便知；再則是以我的良心血性，為這一代的青年朋友作諍言。我既不想作闢佛的韓愈，也不想作取經的三藏（套用簡孝質兄早年的話），因為事實告訴我們：佛教高深的哲理救不了印度，也正如高度科技的發展一樣地救不了美國道德的崩潰與經濟的萎縮（看看能源缺乏後的美國社會吧！），我們有我們自己的最健全的精神遺產，不必要盲目地吸取不適於自己體質的營養。更重要的是，願大家體會淵明他們的心靈，要對自己的國家產生一種實質上的熱愛，善盡認識她、謳歌她而也能付出一切的去保護她的責任！

筆者弱冠辭家，在西子湖畔飽受共匪炮火無情的狙擊，在黃浦江邊看到絢爛的上海在魔掌下已失去了原有的繁華，鍾山已蒙塵，江水在嗚咽，在極權的統治下，人們再也沒有心情去踐踏牛首山上的芳草綠，再也沒有心情去欣賞棲霞山頭的楓葉紅，嚐不到紅菱白藕味，喫不下蟹肥鰣魚鮮！

半生海嶠，神縈故鄉，夢不到楊柳依依草長鶯飛貌，看不到寒梅怒放雨雪霏霏景，嚐不到翡翠色的賽梨蘿蔔甜，聽不到那冰糖葫蘆和熱騰騰的荸薺親切的叫賣聲！看不見江面風帆影，聽不見古寺晚鐘鳴！啊！啊！當我每天凌晨疾走在福和橋上，當我彳亍在新店溪邊，我不禁有時泫然欲涕，有時熱淚盈眶，多可愛的祖國山河！多美麗的自然山水！我們雖都生存在她的懷抱裏，但又有多少人像淵明他們那樣地認識她、熱愛她、或讚美她。又有多少人能不忽視她的存在而迷失在異國情調裏?!我們是富有的，而我們卻自怨貧乏！我們是幸福的，而我們卻茫然的不能自知自足！山水是永遠存在的，而我們自己卻不存在，大地是冷靜的，而我們卻多半迷失，消極呀！頹唐呀！或是遠走高飛地移民他邦呀！我願這一代的青年朋友們能幡然猛醒！發大心願，開智慧眼，響應政府的號召，投身建設的行列，發揮民族的潛能，建立本位的文化，不要讓我們美麗的大陸國土，長受唯物論者的宰割；不要讓我們國家的命運，長受機械主義者、拜金主義者所支配！為民族發展史留下更壯烈的史畫！為錦繡的山河寫下更美麗的詩篇！

——《臺北商專青年》第 114 期（1975 年 3 月），頁 1-11。

民族掃墓節的由來及其意義

一、前言

中華民國五十五年十一月十二日，中山樓中華文化堂全樓竣工，　總統蔣公當即發表專文紀念，文中指出中華文化的基礎即為倫理、民主、科學。三者之間，倫理尤列為首要，蓋　國父曾說「有道德始有國家，有道德始成世界」也。　總統此一號召，萬方響應，政府乃明定於　國父一百晉一誕辰紀念日為中華民國首屆文化復興節。數年以來，政府與民間全力推行文化復興運動，發皇董理，成績斐然，迨至去歲（中華民國六十一年）政府更明定於每年農曆清明節全國放假一天，以便軍、公、教人員以及學生都能在這一天祭掃祖先廬墓，這一「民之所好好之」的賢明措施，眾口交譽、全民稱便。它不只是使我國千百年來的此一善良民俗完全合法化，且因而更激發了我全國同胞慎終追遠、崇尚孝道、重視倫理道德的傳統精神。

因此，清明節被稱為「民族掃墓節」的名稱，也終於正式確定。

二、清明掃墓習俗的由來

考清明節氣，古已有之，汲冢《周書》始有「二十四節」名稱，其前序說：「周公辨二十四氣之應，以順天時。」《管子》也有「清明、大暑、小暑、始寒、大寒」的話。《淮南子・天文訓》說：「春分後十五日，斗指乙為清明。」應劭《風俗通義》說：「周禮，女巫掌歲時以祓除疾病。禊者，潔也，故於水上盥潔之也。」《韓詩章句》也說：「鄭俗上巳秉蘭祓除。」郎瑛《七修類稿》說：「清明，三月節。按《國語》曰：『時有八風。』曆獨指清明風為三月節，此風屬巽故也。」

至於掃墓之事，由來更久，《尚書・太甲篇》說：「王徂桐宮居憂。」明顧炎武先生以為是：「古人廬墓之始。」《吳越春秋》說：「夏少康恐禹墓之絕祀，乃封其庶子於越……春秋祀禹墓於會稽。」《禮記・檀弓篇》記述孔子少孤，不知父墓，故殯母於五父之衢，於防得父之墓，乃奉母喪以合葬之，曰：「吾聞之古也，墓而不墳，今丘也，東南西北之人也，不可以弗識也。」於是封之崇四尺。孔穎達疏曰：「今既東南西北，不但在鄉，若久乃歸還，不知葬之處所，故云不可不作封墳記識其處。」封識做什麼？能說不是為了省視祭掃嗎？〈檀弓篇〉又記載說：「子路去魯，謂顏淵曰：『何以贈我？』曰：『吾聞之也，去國則哭于墓而后行，反其國不哭，展墓而入。』謂子路曰：『何以處我？』子路曰：『吾聞之也，過墓則式，過祀則下。』」去國哭墓，反國展墳，當然已見祭掃的跡象了。又《禮記・曾子問篇》，孔子答曾子問宗子去國，庶子無爵，如何祭祀的事，孔子說：「望墓而為壇，以時祭。」由此可見墓祭在當時雖未為政府定為制度，但在觀念上已被聖人視作合禮而且自然的行為了。

說到民間墓祭的事實，很早即已發現，《左傳・僖公二十二年》:「辛有適伊川，見被髮而祭於野者。」《孟子・滕文公篇》說:「昔者孔子沒，三年之外，門人治任將歸，子貢反築室於場。」這是記載孔門弟子為孔子廬墓的事實。此外，《孟子・離婁篇》還說齊人:「卒之東郭墦間之祭者，乞其餘，不足，又顧而之他。」齊人能「顧而之他」，以求吃飽，可見戰國時代墓祭之在民間，已經是非常普遍的事了，但是墓祭的時間必不僅限於清明這一天，不然齊人必不可能「每出則必饜酒食而後反」了。

墓祭之被王室採用，據蔡邕《獨斷》說:「古不墓祭，至秦始皇起寢於墓側，漢因而不改。故今陵上稱寢殿……四時就陵上祭寢而已，今洛陽諸陵，皆以晦望二十四氣三伏社臘及四時上飯。」趙翼《陔餘叢考》說:「兩漢以來，上陵之制，士大夫倣之，皆立祠堂於墓所，庶人之家不能立祠，則祭於墓，相習成俗也。」到了唐朝玄宗開元二十年，「敕寒食上墓」。胡三省說:「唐開元敕寒食上墓，《禮經》無文，近代相傳，寖以成俗，宜許上墓同拜掃禮。」後唐莊宗每年寒食出祭，叫做「破散」，歐陽永叔《五代史記》說：「所謂寒食野祭，而焚紙錢，即謂此也。」由此可見，時至唐朝，墓祭已固定在寒食這一天了。

到了宋朝，趙元鎮的〈寒食〉詩中有句說：「禁煙不到粵人國，上塚亦攜龐老家。」黃庭堅的〈清明〉詩最能道出節景：「佳節清明桃李笑，野田荒塚只生愁。」又說：「人乞祭餘驕妾婦，士甘焚死不封侯。」道出《孟子》「齊人章」及晉文公與介子推的故事。高菊磵〈清明〉詩句說：「南北山頭多墓田，清明祭掃各紛然。」最為寫實。又說：「紙灰飛作白蝴蝶，淚血染成紅杜鵑。」極能寫出清明予人感傷的氣氛。至此已見清明掃墓的習俗，不僅已在民間普遍的流行，並且已是詩人們謳歌的題材了。

至於掃墓的實況，清朝《通禮》記載說：「歲，寒食及霜降節，拜掃壙塋，屆期素服詣墓，具酒饌及芟翦草木之器，用肱封樹，翦除荊草，故稱掃墓。」這些情形，與今日各地民間掃墓的儀式已完全符合了。

三、民族掃墓節的意義

《論語》曾子說：「慎終追遠，民德歸厚矣！」朱熹註釋說：「慎終，是喪盡其禮的意思；追遠，是祭盡其誠的意思。一般民眾如能做到這一點，社會風氣自然趨向敦厚了，因為死去的親長是最易被忽略了的，故使大家能慎終；埋葬了的遠祖也是最易被遺忘了的，故使大家能追遠。」我國數千年來，民間一直都能保持這種純樸完美的習俗。而今政府正式提倡，其發生激勵鼓舞的作用，至少可顯示了下面幾點積極的意義：

(一)擴大了生命的領域，增進了社會倫理結構的堅度

從一般心理反應的現象來看，一般中國的老人是永遠不會寂寞的，他們即使到了垂暮之年，總是興高采烈地忙著看墓地，忙著買壽材，更忙著以他的落日餘暉去照顧著自己的兒孫們的生活。生寄死歸，死亡對他們並不能構成絲毫的威脅，為什麼他們會有如此的力量呢？一方面是因為他們覺得在死後必將歸葬祖塋，人在死後自然不能再和兒孫們廝守在一起，也必須被埋到死人居住的地方，那麼他即將和早逝的先人們重聚歡敘了。至於孩子們呢？那只能算是暫時的分居，卻不能算是永別，因為每年的清明節，他都能看到他們環繞在他墓地的四周，分享著他們的悲哀或歡樂，靜觀著他們的茁壯與成長。在他的意識裏，只覺得那埋在墓地裏的先人和活在人世的兒孫們都是他自己生命的一部，他們從不把自己的生命從這個整體的生命中剖分出來。他們沒有哲學，但他們的內心卻是無比的充實。他們永不會寂寞，永不會像外國老人在忍受著逛馬路和坐公園曬太陽的悲哀，因他們無暇悲哀，他們甚至到嚥下最後一口氣時，內心仍只充滿了愛，只關心著某個已做了祖父的兒子的健康，某個孫女的終身大事，或是某個孫兒未完成的學業，故他們能如此理智的平靜的面對衰老以及死亡啊！這是什麼力量？這能說不是幾千年來國人祭祖掃墓的風俗、慎終追遠的觀念的強烈影響嗎？至於他們的兒孫們呢？相對的，他們在老人家衰老的時候，一定悉心地奉養著他，飲食起居，全心照顧，並且不聲不響地為老人家準備後事，雖哀戚，但不絕望。此後家祭、

墓祭，恭敬如儀。祭祀食品方面，一定求豐求潔，做些老人家平日愛吃的菜，跪拜默禱的時候，也一如老人家在日的時候和他講話的情形一樣，不是迷信，更無目的，只是做著他們與生俱來的自己的份內的事情就是了。這一切的一切，讓年青的後輩看在眼裏，覺得逝去的爺爺奶奶仍和他們在一起，慈祥的面容仍在對著他們微笑，溫暖的手仍在輕拂著他們，他們的內心是多麼的溫馨充實啊！每個人都有他失落或消沈的時候，在這個時候，他往往會忽視他自己存在的價值，悲觀、厭世、自殺或瘋狂；中國青年則不然，他們永遠記得祖父輩純樸的笑容，永遠記得他們莊嚴地面對生活，永遠陶融在這擴大了的生命的愛之海洋裏。悲哀擊不倒他，貧困擊不倒他，因他有著無比的精神上的財富在支撐著他。這個化個體為整體生命的家庭，就是帶給中國社會幾千年來的安定的磐石，這是什麼？這就是慎終追遠的觀念，倫理道理的力量啊！

（二）宏揚孝道，打擊滅絕人性，破壞傳統道德的共產匪黨

自共匪竊據大陸以後，滅絕人性，摧毀文化，在其「文化大革命」的瘋狂口號下，墳墓已被挖盡，骨骸棄置田野，鬼魂夜泣，神靈震怒。誰無父母？誰無先靈？大陸上受迫害的同胞莫不蘊藏了滿腔的怒火，忍受著無比的恥辱。反觀我寶島臺灣，家給人足，慈孝成風，老者生得安享，死得安葬。每逢清明佳節，紅男綠女，扶老攜幼，方簋圓簋，菜豐酒足，駕車徒步，荷鋤執鐮，紛紛出郊區，登高岡，香煙繚繞，紙灰翻飛，滿山往來著掃墓的人群，遍地陳列著祭祀的

酒食，這又是多麼感人的畫面？　總統在〈王太夫人百歲誕辰紀念文〉中說得好：「人性既不可以久抑，正氣自沛然而莫之能禦，故此根於天命之性之忠孝，乃適為我直指人心，驅除匪寇之張本。」我們但能實踐這種倫理道德的傳統精神，自然也就能掌握了擊敗共匪，獲得中興復國勝利的保證！

（三）推動全民體育，讓大家藉此重返自然，以發揚思親、愛土、保鄉、衛國的精神！

近年來臺灣以經濟繁榮，生活豐足，戶外運動，亦因之極需提倡。古人於清明佳日，結伴踏青，藉此以散身心，寄情山水。現在我們利用清明掃墓，則具有兩重積極的意義，孝親追遠，健行強身，一面探視先人的寢地，彷彿看到了他們的笑貌音容；一面可嗅到泥土的芳香，靜聆大自然的呼吸，這邊是父親手植的桑，那邊是母親手植的梓，如此故園，如此江山，怎可讓他受敵人的覬覦？怎可讓他受到外人的侮辱？又怎可不振作惕勵，做一個保家衛國的忠臣孝子？

四、結語

綜觀世界各國，葬儀形勢的繁簡，各地或有不同，但祭掃有節，大概只有我國獨有了。政府此一賢明的措施，使死者有寄，生者安心，而年輕的一代更受到了無比的潛移默化的影響，蔚成純樸和諧的社會風氣。試看寶島以外的世界，大陸上被匪幹及紅衛兵所造成的腥風血雨；美國邪痞的墮落、迷失、吸毒與頹唐；歐亞各地的恐怖份子所做的劫機、綁架、暗殺的勾當，到處都充滿了徨徨不安的現象！這固然是共產集團的陰謀及毒素在作祟，但無可否認的，這也正是由於道德倫理的淪亡、向上精神的崩潰以及社會心理的反常所導致的結果。我們只有發揮我國傳統的良風美俗，孝親慎終，掃墓追遠，把故土從頭收拾，把人性從根救起！

——《臺北科學教育季刊》第 6 期（1974 年 3 月），頁 33-37。

振閩學之餘緒，為復國之中堅

——本校三十週年校慶獻言——

古者三十年為一世。夫子云：「三十而立。」蓋年屆三十者，可以為人父，可以為人長，亦即本固幹強，智圓慮周之期也。

本校自臺灣光復以迄於今，轉瞬即屆三十週年校慶，際茲佳日，刊葉著文，勒石頌功，均所當也。余以不文，不善稱頌，謹獻數言，以勉同學諸君子焉！

案吾國學術，自南宋而後，即由北而南。象山倡尊德性於先，而姚江致良知呼應之於後，朱子始道問學於匡廬，繼設書院於福建，道學因此南行，閩學由是大盛。蓋北方多釁，樞府南移，儒臣節士，匯集南服，形勢如斯，不得不爾也。

晦庵閩籍門人，如建陽蔡元定西山之英邁該洽，及其後學若西山長子節齋蔡淵，次子復齋蔡沆，幼子九峰蔡沈。節齋長子素軒蔡格，門人仙遊陳光祖，建陽翁泳、熊古溪、熊西。九峰長子覺軒蔡模，次子久軒蔡杭，三子靜軒蔡權。門人建安劉冰壺、邵武黃存齋，皆能篤守家學，敘秩彝倫者也。

又如閩縣勉齋黃幹之體內兼備，其講友崇安胡西園、仙

遊余元一。門人長樂劉子玠、陳如晦，閩清黃師雍，閩縣黃仲玉，侯官陳象祖，仙遊鄭中實，亦皆端莊存養，近思成德者也

晦翁弟子，他如閩中潘謙之、楊志仁、林正卿、林子武、李守約、李公晦，清江張主一，順昌廖槎溪，邵武李果齋、任斯庵、蔡息庵，建陽周舜弼、劉雲莊，光澤劉琴軒，浦城詹元善，晉江傅竹隱，莆田陳復齋、鄭可學、黃壺山、方耕叟，崇安張玉峰，龍溪王東湖，福安楊信齋，臨漳石子餘。或開筵以傳經，或著述以講學。後學建陽退齋熊去非紹考亭之舊業，尊先儒之正學，入元不仕，與疊山先生謝枋得結為志友。福寧韓古遺之尊經勵學，標解《四書》，旁註《三禮》。而晦庵門人北溪陳淳及弟子仙遊陳貫齋、晉江蘇省齋，再傳南安呂圭叔、同安邱吉甫，胥能踐履堅確，持節葆真，此皆閩學之傳人，南疆之儒統也。

迨元移宋祚，雖氈毳之習，流被宇內，而道學之士，或殉身以蹈海，或全節以遯身，或潛流於閩廣，或不屈於海陬，隱隱然有灝氣存焉！

迄明鄭開府臺灣，延平之意氣狀貌，猶為書儒，既悲國亡之無日，又傷母氏之死亂，雖痛哭赴文廟焚毀儒服，以孤臣自誓。然治臺大計，一垂儒家舊貫，屯田駐軍，足食足兵之餘，仍能建廟禮聖，設校講學，從難吏民，要皆閩江老師宿儒，及忠貞不屈之士，故能孤憤海天，延明紀垂四十歲。易手之日，於清廷雖為異族仇讐之敵，亦不得不敬其孤忠，建祠臺郡，追諡忠節。蓋公理自存於人心，而正氣自昭於日月也。

自清政不綱，甲午割讓之痛興，日倭肆其陰鷙鴟張之毒性，掠我寶島，夷我臺胞。臺灣外遇強敵，內失奧援，然終以皇漢子孫，不甘淪為異族犬馬，於是槌胸泣血，萬眾一心，誓同死守。其間若林維源之捐貲充餉，丘逢甲之毅然領軍，許肇清之起於鹿港，吳湯興之起於苗栗，簡精華之起於雲林，徐驤、姜紹祖之起於新竹，此皆驚天地，泣鬼神，振人心，存正氣之壯舉也。

嗣後以力懸勢孤，獨立解體，忠志之士，或血戰以殉身，或抆淚以內渡，或隱忍以待時，或靜處以觀變。及日倭掠奪志成，於是限我文字，課以日文；禁我語言，代以公學。鄉土藝文，殘毀殆盡，亡國滅史，憯痛何極！斯時也，既未能公開講學以存民族之大義，又未能肆意著述以作抗日之宣傳，有志之士，乃隱設私塾以授《四書》，陰結詩社以寄慷慨，名為擊缽之詩人，實講傳經之道學。始則滄海發其端（丘逢甲有《嶺海日樓詩鈔》），繼則癡仙（林朝崧有《無悶草堂詩存》）踵其事，於是南社興於臺南，櫟社興於臺中，而瀛社興於臺北。當此之時，南社社長趙雲石，中堅詩人謝籟軒、連劍花、胡南溟、黃西圃，少壯詩人洪鐵濤、謝竹軒、謝星樓，櫟社傅鶴亭等濟濟多士，佳篇累牘。而劍花連雅堂氏以「國可滅，史不可滅」，冒九死，以十稔心血，著《臺灣通史》三十六卷八十有八篇，而臺灣文獻於是乎存。俾我華裔子孫體經營開創之艱難，知割讓慘痛之事實，其心苦，其志遠矣！鹿渠洪棄生先生著寄鶴齋詩文，其自跋《寄鶴齋詩𧩙》有曰：「江山非（如）故，賦〈哀郢〉以神傷，風景不殊，愴新亭而淚下。……珠崖棄而賈捐不言，象郡亡而田岔何問？斯時也，風雲變色，羽徵無聲，平子思京，衹吟〈四愁〉；梁鴻望國，空賦〈五噫〉！」皆悲割讓之作也。其〈論鄭成功〉一文有云：「有志同冰霜，名爭日月，進之而為前朝義臣，退之亦不失為當代烈士者，吾於商、周得兩人焉，曰：伯夷、叔齊。有忠同鐵石，名重嶽山，進之可為故國忠貞，退之亦僅為敵國逋臣者，吾於宋、元得三人焉，曰：文天祥、陸秀夫、張世傑。……有遇同商鼎革之際，而論在管、蔡、許遠之間，進之為勝國義士，退之為盛朝窮寇者，吾於明得一人焉，曰：鄭成功……迨聖祖仁皇帝（康熙）朱諭以為：成功者乃明之義士，非朕之逆臣；則大哉王言！『萬世春秋』，如天之無不覆，地之無不載矣！」洪氏遺著，大抵皆抒一己之悲懷，秉《春秋》之鐵筆，存兩間之正氣之作也。閩學所存之精神，於焉已至極致矣！

洎夫七七戰起，故總統奉化　蔣公，合四百兆悲憤久抑之民心，統百餘萬喋血苦戰之士眾，含數十年忍恥受辱之痛淚，築數千里與敵偕亡血肉長城之戰線，艱困八年，愈戰愈奮，終至最後勝利，敵寇投降，而臺島終慶得返祖國矣！五十年陰霾一掃而空，數百萬遺民重見天日，先民遺志，於焉以償，正當攜手建設，共慶昇平之時，詎知東走強虜，北來帝俄，肆其蠱毒，驅其鬼倀，不旋踵間，而大陸河山復又淪於水火矣！

我　蔣公恭受　國父集其大成革命哲學之薪傳，致陽明良知、良能之絕學；甦未醒之國魂，存民族之正氣；講學名山，倡力行以革命；經營寶島，堅百忍以圖成，是知贛江閩水，翕然通流；浙海鯤瀛，義同一軌。

我校位於戰時行都，接壤行在，作育懋遷之人才，培植經建之幹部，自臺灣光復以還，成德達材，何慮萬千！校長吳韻公，生而與象山為同里，幼而親白鹿之國學；始侍領袖於廬山，第行教化於海嶠；尊德性而道問學，重實踐而貴新知，故歷來校風，浩浩淵淵，活活潑潑，三十年來，俊彥輩出，四海蜚聲，或為金融之鉅子，或為傑出之學人，在學諸君，必當紹光榮之傳統，肩道義之重任，德術兼修，而明體達用。

所謂明體者，蓋吾國學術，道藝異途，故凡總論為人者為道，道俱載之於六經，曰：《詩》、《書》、《易》、《禮》、《樂》、《春秋》是也，此即是明體；所謂達用者，凡論治人馭事者曰藝，藝則行之於六藝，曰：禮、樂、射、御、書、數是也，此即為達用。故深究明理為人之道曰學，嫻習治人馭物之藝曰術；優游道藝，統會學術，始可為通儒。

自西風東漸，萬流交匯，論人取物，各有所偏，而賓主相喧，利功是競，主從莫辨，誠大惑也。吾人須知不辨本國文化源流者，固不可為通人；而不識西方學術思潮者，亦不得為髦士，故吾校諸君，必須通古今之變端，識中外之大體；不以一得而自炫，不以虛名而自誤，任經建之前鋒，作文化之砥柱；為復國之中堅，振閩學之餘緒；開萬世之太平，慰先靈於中土。

——《臺北商專三十年校慶專集》，頁 29-30。

歐陽竟无大師的佛學見解及對中國當代學術思想的影響

一、傳略

歐陽大師，諱漸，字竟无，江西宜黃人。少年刻苦力學，二十中秀才，終於輕視舉子業，而棄八股文，由曾國藩、胡林翼、程頤、朱熹各家的學說，而上追經、史、百家，兼工天文曆算。當時人譽他得風氣之先。甲午中日戰啟，國事日危，感慨雜學對國事無用，就專心研究陸象山、王陽明的心學，想以知行合一的學說挽救當時的頹風。三十四歲，以本縣優貢參加廷試，未中。南歸，自辦止志學堂，斟酌應授科目，力求體用兼備，並自編教材授之。

三十六歲，生母汪太夫人因病逝世。大師是庶母生的，很小就喪了父親，一位嫂嫂、三位姐姐都很不幸的寡居而又貧窮如洗的來投靠他們母子，汪太夫人抱病照顧這樣多人的生活，終於貧累而死。大師對慈母之死，比什麼人都傷心，在慈母逝世的那天，就戒除了肉食，斷絕了色慾，不求仕進，歸心佛法，立志救世救人。

大師在家守孝一年後，到南京，從佛學大德楊仁山先生遊。旋又東渡，在日本待了幾個月，訪求遺籍，頗有收穫。回國後，受聘為兩廣優級師範講席。因不慣南方氣候，患風濕病痛請辭。接著經營農業，又生了一場大病，幾乎因而逝世。從此就決心捨身為法，不再去照管家人的生活了。

大師再次的到南京投奔楊仁山先生，開始主持金陵刻經處，隨後創設了支那內學院，講學與刻經同時進行，來受業聽經的人一天天的多起來，一時大儒名賢如梁任公（筆者按：即飲冰室主人梁啟超先生）、黃懺華（筆者按：著有《中國佛教史》）、湯用彤（著有《漢魏南北朝佛教史》）、梁漱溟（著有《中國文化要義》、《東西文化及其哲學》等書），皆入座聽講，恭恭敬敬的行弟子的禮節。

民國二十六年七七變起，大師發表文章，大都是激勵忠貞愛國，鼓舞敵愾同仇之民心士氣為主旨。到了敵寇深入南京，大師才內遷四川，在江津縣設支那內學院，大師雖年登古稀，而精爽溢發，講論著述更加勤奮。時共黨托派巨魁陳獨秀（筆者按：陳曾任北大文學院院長）、高語罕被毛派排斥，蟄居江津悔罪，開始和大師以朋輩論交，終於也從大師輸誠受業。

大師對於佛法，開始是研究法相唯識宗[1]的學術。通達之後，進一步的深究般若[2]；般若既通之後，再闡揚涅槃[3]。

---

1 法相唯識宗：略稱相宗，本宗窮究萬物之性相，故名法相，本宗有唯識論，明萬物唯識之妙理，故亦稱唯識宗，印度名為瑜珈宗，唐玄奘傳入，認心外無法，百法皆心，心王為主，並分眼、耳、鼻、舌、身、意、末那（思量，我義）、阿賴耶（諸識之根本，萬有之種子）等八識，識有四分，境有三異，心外無境，萬法唯識。

2 般若：梵語，意譯為智慧、慧、明等。智度論：般若，秦言智慧，一切諸知慧中最為第一。

3 涅槃：圓寂、滅度之義。有有餘涅槃、無餘涅槃之分。有餘涅槃，謂或業已盡，猶餘有漏之身也。無餘涅槃，謂自此永無生死大師認為：

（一）法相唯識：可深明一切雜染都是妄境；

（二）般若：深明萬法之本然皆空；

（三）涅槃：顯示即妄而皆真。

此中經卷浩繁，說理精邃奧妙，必須博學深思，才能達到超悟自得的境界，但一般同胞往往都抱著一種對經義只須力求簡單明白，對佛理也不喜歡探討它的精深詳備，辯難的風氣一向不高，去取的靈智也沒能確立，喜歡從片言隻字中去參悟禪機，不慣從經義的海洋中去推窮佛理，因此爭先恐後的趨向禪、淨兩條路，致使佛法真正的精神，反而漸漸的沒落了。到了大師，才能融會貫通，大暢其旨，湮沒千年的絕學，藉大師才又重放光明。

大師天真純行，無論為學治事，皆全力以行，惟大師一生坎坷，老母棄養，子女以次夭折，親屬凋零，傳經事業，也因日寇的侵略，輾轉播遷。故大師的學問，實為慘痛的學問，大師的文章，也是血淚凝成的文章。大師天資超過常人，讀書一目十行，支那內學院藏書二百萬卷，多經師親自校勘，一般人很少有讀完《大藏經》的，大師則讀過好幾遍。讀全部二十四史，竟如一般人讀《三國》、《水滸》說部一樣的輕鬆讀完。但大師並不自炫聰明，不求博覽之虛名。當大師研究六百卷《大般若經》時，每天只讀一卷，用六百天悠長的日子才讀完，大師治學是如此的博而又如此的專。

有天晚上，江津被大風雨所襲，大師關心園中蔬木被風

也。釋氏命終曰「涅槃」，返本歸真之義。

雨摧殘，凌晨親率員工至園中插竹扶籬，掩根正幹。工作完畢，過書齋，看到一名學生端坐席上誦讀《莊子》，大師拿出泥手給他看，一面開悟他說：「此刻，是你在讀《莊子》呢？還是我在讀《莊子》呢？」接著說：「讀書人不從實踐方面去求知，國家一定會亡的，技經肯綮，未嘗不是莊生勇猛應世的真精神啊！」可見大師不是教人耽溺寂靜，追逐虛空，而是勉人以入世的胸懷，發治國平天下的宏願的！

民國二十五年的春天，印度詩哲泰戈爾來華訪問。因久慕大師盛名，一夕接談，驚佩得不得了。認為在印度已喪失了二千年的國魂，沒有想到竟然在中國找到了。當時和大師當面約定，等他於回印度後，將在國內選派夠水準的學者來華留學，入支那內學院隨侍大師研習。泰氏認為將以這三十人，肩負起自中國找回印度民族靈魂的使命。不幸第二年盧溝橋事變發生，不久，泰戈爾氏也去世了。大師之絕學竟未能西傳，戰爭對人類精神文明的破壞，真是令人痛恨！

三十三年二月二十三日，大師在江津內學院逝世，享壽七十三歲，國民政府明令褒揚，教育部派員致祭。英、美、德、法學人紛紛表示悼念，甚至當時的敵國日本也不例外。大師從三十多歲喪偶，終身不再娶，靈櫬久厝江津，贛人建議省府迎葬廬山，不幸大陸陷匪，未及如願，時人憾之。

大師一生對宏揚佛法最偉大的成就，約有數端：

(一) 居士道場的奠立

大師秉承楊仁山居士所示「刻經須設道場」的宗旨，在刻經處設研究部，以方便刻書同志自由研究。但刻房舊人懶於研習，大師不得已，只好別立內學院，開始訂立院訓曰：「師、悲、教、戒。」揭明在家眾得主持佛法之義。接著更立四信條曰：

（一）為真是真非之所寄。

（二）為法事光大。

（三）為居士道場。

（四）為精神所繫。

用以上四點標示內院組織的根本。遷蜀以後，再分毘曇、戒律、瑜珈、般若、涅槃五科，期立院學。希望由言教史實之真，以求觀行實踐之真。以結集的精神，徹底整理藏教，以頓境漸行的論點，立院學的楷模。進而廣疏通才，光大法事。

（二）為《藏要》的編印

大師主持金陵刻經處二十五年，刻成經籍兩千卷，對於俱舍、瑜珈、般若、涅槃諸多重要經論，都一一作序，用以啟導後學。而整理的原則，大師也確定了三項：

第一：學忌凌無，應本西竺論說，編成一系。

第二：法有相面，應將異文異譯，刊定一尊。

第三：讀有方便，應將凡書文義，提要鉤玄。

（原傳案此間南港中央研究院藏有《藏要》二輯，深盼有力者重印以問世）

（三）為疑偽的揭示

大師認為北魏菩提流支重譯的《楞伽》，與宋譯大為不同。譯的經籍數量很多，不同的經義就常常出現了。因此有《起信論》問世，獨步法壇，支離籠統之害，一千多年來，到現在還不終止。大師遍蒐印度佛典古籍，竟然沒有《起信論》。又大師嘗疑《楞嚴經》思想體系決非佛說，應亦中土偽造。現在求之於印度，果然也找不到原文經典了，這種不爭的事實，實不可以意氣爭勝的。大師認為這些疑偽經論，葳蕤紛論，是「戕慧命，闇天日，賊聖教」的毒害，不可使它成長的。

（四）是眾生坦途的開啟

大師直揭平等實性無餘涅槃，以定歸極，根本三智[4]，方便三漸次[5]，以明修證。一面標明衣珠藏寶的所在，一面指示取珠方便的路向，可算是打開如來的秘密寶庫，顯示先聖宏大的規模，開拓了眾生坦平的大道，奠定了如來哲學的基礎了。

（五）為儒佛的融貫

大師晚年再讀儒書，默然有所心得，因此再融合儒佛二家思想精義，而收同途合轍相得益彰的功效。因為宋儒往往引用佛理，註釋儒書，才創所謂性理之學，也就是大家所說的宋學。可是有些人闖入佛門，飽餐佛理之後，然後再出去

---

4 根本三智，有二說：《楞伽經》曰：一世間智，凡夫外道之智；二出世間智，是聲聞圓覺二乘之智；三出世間上智，是佛、菩薩之智也。又《智度論》曰：一、一切智，驚聞圓覺之智也；二、道種智，菩薩之智也；三、一切種智，佛智也。

5 三漸次：五時中漸教之三教也，即鹿苑、方等、般若也。

排斥佛道，既想得佛理加以利用，又恥居「異端」的名下，因此宋儒對於佛學，往往就淺嘗輒止，無法直透最高境界，到了大師才開始坦然的拿佛解儒，拿儒契佛，痛痛快快的發揮，毫無忌諱的所在。大師認為：使儒者沒有超世的精神，就不能入世而不覺得有障礙的存在，如沒有這超世的精神，又怎能素其位而行，無入而不自得呢？使佛徒沒有入世治世的方便，那麼他只不過是獨善其身自了之後，頑空守寂，有聲聞乘而已罷了！所以佛不礙儒，得佛法可使儒道更加精深；儒不礙佛，得儒道可使佛法更加廣被。這是大師對近代學術最高明的見解，也是最偉大的貢獻。

（六）為勉人作聖以成佛

大師以「相續增上」一句話，勉勵後學精進，作聖成佛。並拈一「續」字，進而論之曰：「日月以續而明，四時以續而成，涓涓之滴，續成江河；青青之苗，續成尋柯；悲悲不已，續成薩婆若（梵語：一切種智也）。」可見作聖成佛，要以不息、不已、不舍的精神相續增上，亦是行之所必達的意思。如只拈一「行」字，則易流於空疏，相續增上，那麼就工夫篤實，有寸寸見功，時到自顯的效果了。（以上資料乃據周邦道、章斗航兩先生所著〈歐陽大師傳〉所改寫。）

二、對佛學的見解

大師曾在南京高等師範學堂哲學研究會講演佛法究竟，

講題為〈佛法非宗教非哲理〉，由王恩洋先生筆記，其大要為：

先解名詞。佛法非宗教（Religion），非哲學（Philosophy）。宗教、哲學二字，原係西洋名詞，迻譯中土，勉強比附佛法之上，其實這兩個名詞，含義既各不同，範圍又極狹窄，如何能包含這廣大的佛法？正名定辭，宗教、哲學二詞都用不著，佛法就是佛法。

何謂佛？何謂法？又何謂佛法？案佛家的三寶，一佛寶，二法寶，三僧寶。佛寶指人，法寶指事，僧者，眾多弟子的意思。寶者有益有用的意思。已得無上正等菩提之謂佛。法則範圍最廣，凡一切真假事理、有為、無為都包含在內。於事於理，如如相應，不增不減，恰到好處，所以稱為法。此法是正覺者之所證，為求覺者之所證，為求覺者之所依，故稱佛法。

其次解涵義。為何說佛法非宗教呢？因世界所有宗教，其內容必具四個條件，而佛法卻與其相反，所以說佛法是非宗教的。一般宗教有那四種特色呢？

第一：凡一般宗教崇命一神或多神及開創彼教之教主，此其神與其教主都是神聖不可侵犯的，有無上權威，能主宰賞罰一切人物，而佛法則不如此。昔者佛入涅槃，以四依教弟子：

一者，依法不依人。

二者，依義不依語。

三者，依了義經不依不了義經。

四者，依智不依識。

所謂依法不依人者，即是但當依持正法，假使於法不合，雖是佛陀亦在所不從。禪宗祖師[6]於天上地下唯我獨尊語，而云：「我若見時一棒打死與狗子喫！」心、佛、眾生，三無差別，即心即佛，非心非佛，前之諸佛，但為我的導師善友，絕無所謂權威賞罰之可言。所以在一般宗教則不免屈抑人的個性，增長人的墮性，而在佛法，絕無此種現象。

第二：凡一般宗教，必有其所守之聖經，只許信從，不許討論。此種現象，一則用來自固其教義，一則用來把持教徒的信心。而佛法則與此不同，前述「依義不依語」,「依了義經，不依不了義經」，即是有力證明。

所謂「依義不依語」者，「實有其事」曰義，「但有言說」曰語。無義之語是虛語，故不依他。「了」有二解：一「明了」為了，二「了盡」為了。不了義經者權語略語，了義經者實語盡語。不必凡是佛說皆可執為究竟語，故盲從者非是。其容人思想之自由也如此。

第三：凡一切宗教家必有其必守之信條，與必守之戒約。信條、戒約，即其立教之根本，佛法則又與此不同。佛法究竟目的在度眾生共登正覺，以破除煩惱障及所知障。由戒，而定，而慧。固不拘於尺寸繩墨之中，以自苦為極者也。夫大乘固然如此，即在小乘，也有不出家，不薙髮，不披袈裟而成阿羅漢者。（見《俱舍論》）

---

6 五代韶州雲門山文偃禪師，人稱「雲門偃」，曾舉提說至世尊初生下，一手指天，一手指地，周行七步，目顧四方云：「天上天下，唯我獨尊。」師曰：「我當時若見，一棒打煞，與狗子喫卻，貴圖天下太平。」

第四：凡宗教家類必有其宗教式之信仰，宗教式之信仰為何？純粹感情的服從，而不容一毫理性的批評者也。佛法卻不同，「無上聖智」要由「自證」得來，是故依「自力」而不純仗「他力」。

以佛法與一般宗教比之：一者崇卑而不平，一者平等無二致；一者思想極其固陋，一者理性極其自由；一者招苦而昧原，一者宏闊而證真；一者屈懦以從人，一者勇往以從己。觀此，可以明其軒輊，辨其端倪矣！

三、大師對當代學術的影響

自大師之學興，對當代學術的影響，述者淺見，亦有數端：

（一）自大師之學興，神秘之佛學乃正式學術化。前此宋儒雖多有出儒入佛，或出佛入儒者。究其結果，或難免失於一偏，或陷入泛儒家主義，或淪入泛佛家主義，入主出奴，頗難公允，自大師「佛學學術化」始，學界乃能破此困境，益臻精純，而達乎中庸之境。

（二）以孔子默識之「內證性智」、「合群入世」之學，以濟佛之滯寂[7]復以佛學的澄澈、靈明，以擴展儒者體認自然，達天人合一的境界。

---

7 語出熊十力先生著《原儒・緒言》，原文曰：「道頗淪虛，佛亦滯寂。淪于虛，滯于寂，即有捨棄現實，脫離群眾之患。孔子之道確不如此，故須矯正二氏，以歸儒術。」熊氏晚年之學，雖不盡侔大師，而熊氏之學出自大師，則不庸置疑也。

（三）往昔佛道，往往遁跡山林，僅高僧大德寶之，縱有在家諸眾，亦唯高年退職，或看破紅塵之士為之，所作功課，亦止茹素誦經而已。自大師設居士道場，佛學乃為高級知識份子所研之目標，亦為高等學府研討之正課。

（四）以往儒佛是互相排斥的，和尚罵秀才，秀才罵和尚，擾攘不已。自大師之學興，說明儒家天心、人心，通一無二，佛家亦人人有其自主性，學界乃能不自小立門戶，儒佛合參，乃能相互切砌，相互生長，收刮垢磨光，雲開月現，使中國文化，匯為東方人文精神之主流，亦為全世界人類精神文明之希望，大師之功，寧不偉哉！

四、大師之後學著述書目知見

熊十力先生，著述：

1.《讀經示要》 2.《新唯識論》
3.《破破新唯識論》 4.《因明大疏刪注》
5.《十力語要》 6.《十力語要初讀》
7.《原儒》 8.《明心篇》
9.《乾坤衍》 10.《體用論》

大師再傳熊氏弟子

牟宗三先生，著述：

1.《政道與治道》 2.《才性與玄理》
3.《現象與物自身》 4.《歷史哲學》
5.《中國哲學的特質》 6.《佛性與般若》

徐佛觀（復觀）先生，著述：

1.《周秦漢政治社會結構之研究》

2.《公孫龍子講疏》

3.《中國思想史論集》

唐君毅先生，著述：（按唐氏已於六十七年二月二日在港逝世）

1.《中國文化之精神價值》

2.《中國人文精神之發展》

3.《中國哲學原論》導論篇、原性篇、原導篇、原教篇

4.《生命存在與心靈境界》

5.《哲學概論》

6.《人文精神之重建》

7.《心物與人生》

8.《中華人文與當今世界》

9.《文化意識與道德理性》

10.《人生之體驗》

11.《人生之體驗續編》

12.《道德自我建立》

13.《病裡乾坤》

大師遺著由私淑弟子章斗航等輯有《歐陽大師遺集》，由新文豐公司在臺發行。

五、大師之後學舉要

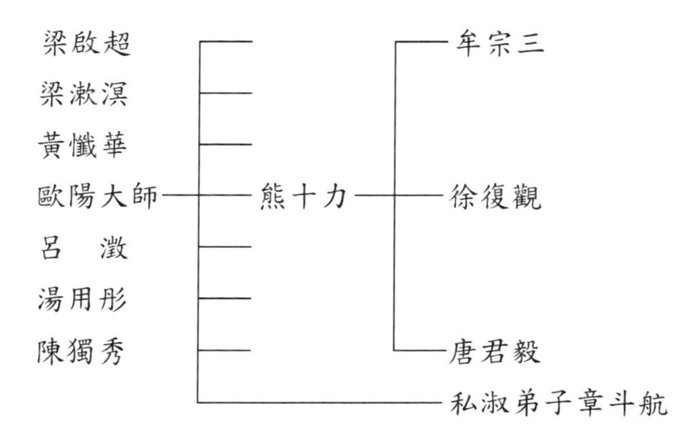

——《臺北商專青年》第124期（1978年7月），頁12-18。

國際漢學會議卮言

一、前言

今年（一九八〇）的八月十五日，國際漢學會議在臺北中央研究院舉行了為期三天的會議，雖然只是短短的三天即告曲終人散，但它的成果是豐碩的、影響是深遠的。今後吾人應如何發展我國學術，促進國內、國外學術交流，光大漢之天聲，發中華之新軔，這應該是最良好的契機了。因為我列祖列宗所留下的文化遺產，在大陸上的，三十年來，已被共匪摧毀殆盡。近些年來，我國學術雖已逐漸受西方學者的重視，但西方的所謂「治漢學」者，大多又只採批評及偏向知性的編狹範圍。那究竟只能算隔靴搔癢，而又不能徹頭徹尾地發掘我國學術高明博厚的底蘊。故今日要肩負發皇中國學術的重大責任，我自由中國學術界應抱持「舍我其誰」的積極態度。「漢學會議」閉幕已告三月有餘了，關心此事者，亦早已各抒其見。筆者區區，本不擬於時日遷延已久的此時再來置喙，因本刊主編所囑，而以「漢學會議」問題命題，乃勉強應命，不避「獻曝」之譏了。卮言者，支言也。支離之言，或有可採，則出筆者之望外矣。

二、「漢學」的用名問題

西人用「漢學」一辭來涵蓋中國學術，而國人為了遷就國際學術習慣，亦仍沿用了「漢學」之名來舉行所謂的「國際漢學會議」，這在「名」、「實」的統攝方面，實在是值得商榷的。因為「漢學」一辭，在中國學者的心目中，它只是整個國學中的一個環節，或者說它只是在一個時代中關於經學研究方面較為偏勝的一個特色而已。清江藩子屏在他所著的《經解入門》一書中說：「何謂漢學？許（慎）、鄭（玄）諸儒之學也；何謂宋學？程（顥、頤）、朱（熹）諸儒之學也。」他又說：「漢興，言《易》，淄川田生；言《書》，濟南伏生；言《詩》，於魯則申公培，於齊則轅固生，於燕則韓太傅；言《禮》，魯高堂生；言《春秋》，於齊則胡毋生，於趙則董仲舒。自茲以後，專門之學興，命氏之儒起，六經五典，各信師承，嗣守章句，期乎勿失。……爰及東京，碩學大師，賈（逵）、服（虔）之外，咸推高密鄭君（玄），生炎漢之季，守孔子之學，訓義優洽，博綜群經。……而經術一壞於東西晉之清談，再壞於南北宋之道學。元、明以來，此道益晦，至本（清）朝三惠（指惠周惕、惠士奇、惠棟祖孫三世均以經學著名）之學，盛於吳中，江永、戴震諸君，繼起於歙，從此漢學昌明，千載沈霾，一朝復旦。」（見江著《漢學師承記》卷一）

近人王緇塵氏〈漢學師承記評序〉說：「據清季漢學家之稱道，所謂漢學者，雖發源於清初，惟當時尚無漢學之名稱，至乾、嘉間，則有吳派與皖派之蔚起，而漢學之名，遂以成立。」他又說：「清人之所以標幟漢學者，其近因實為反對明末之『陽明學』（按：乃指陽明學之末流），陽明學只以談心說性為宗，其源則實出於宋人之理學。清人既反對陽明之理學，因而溯及宋人之經說，遂一概排斥之，惟既已排斥宋人，至於孔子，則不得不奉為宗主，於是乃力闡漢人之經說，而『漢學』之名遂因而成立焉。」王氏又說：「然則漢學之價值究何如乎？曰：漢學家精研訓詁，將久晦之古音古義，復昭於世，而古代之名物制度，亦多所考正，使後世之人得由之以通二千年前難解之古書，其於經典小學所用之心力，固大有功於學術者也。」

綜王氏之說，吾人對「漢學」一辭至少有下列數點的認識：

（一）「漢學」之名是清代乾、嘉年間所成立的。

（二）「漢學」之成立是清儒標舉以反對宋明理學的。

（三）「漢學」一辭是漢儒為群經作訓詁、音義、名物制度的考鏡等屬於小學方面的學術。

清皮錫瑞著《經學歷史》於「經學復盛時代」章中也說：「今鴻篇鉅制，照耀寰區，頒行學官，開示蒙昧，發周、孔之蘊，持漢、宋之平，承晚明經學極衰之後，推崇實學，以矯空疏，宜乎漢學重興，唐、宋莫逮。」清曾國藩敘《歐陽生文集》也說：「當乾隆中葉，海內魁儒畸士，崇尚宏博，繁稱旁證，考核一字，累數千言不能休，別立幟志，名曰漢學。」曾氏又說：「乾隆中，閎儒輩起，訓詁博辨，度越前賢，別立徽志，號曰『漢學』，擯有宋五子之術，以謂不得

獨尊，而篤信五子者，亦摒棄漢學，斷斷然而未有已。」（見曾著〈聖哲畫像記〉）

依皮、曾二氏之說，益見清儒標舉「漢學」之名，實欲以其訓詁徵實之學以彌補宋儒性理空疏之弊。而當時標舉「漢學」為名的創始者，就是甘泉江氏（藩）。江氏以「漢學」為名，著《漢學師承記》一書，當時論者即謂其書有門戶之見，頗有微詞。與他同時的龔定盦氏，即曾投書給他表示異議，認為以「漢學師承記」為書名的名目有十不妥，其中有二語為：「漢人何嘗不談性道？」「宋人何嘗不談名物訓詁？」最足服人。故建議江氏將該書更名為「國朝經學師承記」。焦循（理堂）亦貽書以此諍之，江氏均未接受。方東樹氏遂作《漢學商兌》以反攻漢學，當世學者，亦多未以江氏之區分為當。然「漢學」、「宋學」之名，則已為歷來的學者所沿用了。所謂漢學，僅為專指漢朝一代之經學，也就是訓詁之學而已，絕不可以一個朝代的學問概括整個中國的學術，這應該是凡人皆知的常識問題了。

依習慣而言，一國人稱本國的語言為國語，本國的學術為國學，這是最自然不過的事，然如於外國人的口中稱我國的學術就不能也稱之為「國學」了。故外國人稱中國學術為「漢學」的始作俑者，卻是東鄰日本。日本於明治維新之前，最為醉心中國文化，尤其是漢、唐文化，而又因我國漢時兵威遠震，外人均習稱我國人為漢人。日人不知我漢民族乃為中華五大民族之一，乃誤以「漢學」涵蓋整個中國的學術，一如「和學」涵蓋日本的學術一樣，卻不知道我國學者對「漢學」的命名是另有所指的啊！

衍至今日，國際上凡稱中國文學、哲學、藝術、語言、歷史考古等的研究學問都叫 Sinology，翻譯出來就是「漢學」；對中國文化的研究者就稱為 Sinologue，翻譯出來就是「漢學家」了，這與國人習稱的「漢學」命意是大相逕庭的。今年主辦單位遷就國際學術習慣，仍用「國際漢學會議」名稱，則殊可商榷，外人對我誤用名稱，吾人應有責任辨正，吾人豈因譌從譌，譌之不已嗎？故不憚詞費，卮言於此。今後「漢學」一詞是否正名為「中國學術」或「華學」（我國古稱華夏，見《書經・武成篇》)，有關當局實該早作研究，以正視聽了。

三、建立中國學術研究中心

今年在我國舉行的國際漢學會議，為期僅有三天，老實說句話，這只不過是在發展中國學術的過程中的一個活動而已。對今後中國學術的進展，國人至少持有兩個基本的願望：一是讓中國的學術在自己的土地上生根結實，一是讓自由中國成為真正的「世界中國學術研究中心」。這兩個願望，都不能說是野心，也說不上是什麼大國沙文主義的傾向，這只不過是每個華夏子孫最本分也是最基本的願望！但自滿清中葉以來，外患頻仍，兵連禍接，文獻毀於兵燹及流落外邦者，不知凡幾？所以今天要奢談使我國成為「世界漢學中心」，極易貽人以未知輕重之譏，故李方桂院士提出過他的老成之見，他說：「漢學中心不是可以由我們自己來說的，只有別人說我們是漢學中心時，我們才是漢學中心。」

李先生的這層顧慮我們是可以理解的，他所指的「漢學中心」的涵意不止是一個單純的「場所」，而應該是一個「研究環境」加「研究條件」加「研究成果」所建立起來的「信譽」與「聲望」，它應該是超物質的一個精神的象徵。凡研究中國學術者，不是在東京，不是在巴黎，不是在倫敦，也不是在美國，而是在自由中國的臺北才能夠得到中國學術最完整的資料，才能研究到真正屬於中國的國學。此一目標，固非一日可幾，然我們目前急切要做的：一是先要於臺北建立一個物質的「中國學術研究中心」，二是於此中心提供「中國學術研究資料」。資料問題，下文再談。現在先談建設物質的中國學術研究中心。此一中心的位置，不宜在市區，亦不宜過於偏僻，應該位於陽明山、淡水至少為外雙溪等山明水秀的地方，占地必須廣大，建築必須宏偉，以表現文化大國、文化城的氣象。此「中心」最基本的必需有下列兩個條件：

（一）提供完備的國學資料。此中心設置的資料，目的不在庋藏，而在便於研究。故對古籍應力求包羅萬有，於孤本、善本不必苛求原書，但有影印本或攝製微卷即可。此種資料不僅要向國內各公私立藏書機構廣為搜求，且須向國外各國藏書機構儘量的徵求，庶使積年流失在外之古籍攝成書影或微卷掃數歸國，使天下醉心中國學術的學者來此中心即可登「漢學」的奧府，覽天下的奇文，則國際治「漢學」者，將僕僕於桃園、臺北道上，一如朝聖取寶之虔誠，可想見其盛況矣！

（二）設置自助旅社。此中心之建築不僅要求其現代化，並須表現中國文化的特色，環境必須幽美，氣氛必須和諧。其中除可供學人住宿外，並備有精美廉價之餐點飲料。此外，並須設置室內室外輕便運動器材及游泳池、網球場等設施，以供學人休憩之用。此一膳宿設施為營業性，開始時由政府投資，逐漸輔導其自給自足，然須督導其提供高水準的服務，使成為研究中國學術的學人之家。

四、整理及蒐求中國學術研究資料

中國學術研究資料之整理，即為充實上述研究中心以供治「漢學」之中外學者研究為目的。其中心工作，亦應循兩途進行：（一）複製國內各公私立藏書機構中之善本、孤本古籍。（二）複製海外各國藏書機構之古籍，製成書影或微卷。

此項工作，不僅為了充實研究中心之門面，其恒久的作用，亦應有二：（一）消極的作用，便於庋藏。（二）積極的作用，便於學者研究。

今就上述兩種作用分別討論。

就庋藏的作用而言，臺灣目前所擁有的中國學術資料，除故宮博物院及歷史博物館所珍藏的歷史文物不論，即以善本、孤本的古籍，明、清檔案，大溪資料，地方志，甲骨文標本及金石拓片，亦當為世界之冠，非他國收藏者所可望其項背，但此項資料保存極為不易，蓋因皆為紙質，極易為蟲蛀、火災、水厄、兵燹或變賣外邦所毀滅。我國古籍，毀於上述災禍者正不知凡幾，稍涉書史，真是令人痛心不已，今略舉數則，以為殷鑒。

1. 以公家藏書之損毀往例而言

如《四庫全書》之損毀情形，誠令人不寒而慄。自清乾隆三十七年（西元一七七二年）詔開四庫全書館，開禁中藏本，並徵求海內書籍，命館臣擇其善者而繕錄之，歷十年而成一部，凡收歷代書籍三千四百六十種，計七萬九千三百三十九卷，分經、史、子、集四部，此首成一部之國寶藏北平舊紫禁城內東南隅文淵閣中，即今雙溪故宮博物院藏本是也。後續成三部：一藏瀋陽清故宮之西文溯閣；一藏北平圓明園文源閣，咸豐年間燬於英法之役；一藏熱河承德縣避暑山莊文津閣，後移京師圖書館。此續成三部之所餘兩部，抗戰期間曾為日寇竊去一部，戰後日本曾將此部歸還，據聞適逢大陸淪陷，為該部圖書安全計，有關方面將之寄存英倫圖書館，多年以來，未聞此事續有報導，未知早年所聞確實與否？嗣後乾隆又以江南為人文淵藪，乃又續修三部：一藏江都大觀堂文匯閣，咸豐年毀於洪楊之役。一藏鎮江金山寺文宗閣，亦毀於洪楊之役。一藏杭州西湖孤山文瀾閣，亦毀於洪楊之火，賴錢塘丁丙、丁申兄弟搜集抄補，得其全書三分之二，民國後依文津閣本抄補後始復其舊觀，後藏浙江圖書館。自大陸沈淪，此部及存北平之一部，歷經紅劫，不知能倖存紅衛兵之手否？

謹按乾隆開館修書，其修書規模，不可謂不大，藏書計畫，不可謂不周，然迄今不過兩百零七年，七閣珍藏，僅餘文淵閣一部於此了。據聞此部初來庋藏於臺中霧峰時，曾為八七水災沖毀一部份，未稔已加配補否？公家藏書之保管亦如此之難，而目前國家藏書機構所有之善本、孤本，又多未加複製（僅《四庫全書》委由商務印書館影印一部份），萬一不慎損毀，則上窮碧落，下達黃泉，亦無法索回原物，文化資財，非金錢咄嗟可辦，一旦損毀，則吾人將上無以對祖先，下無以對後昆，可不慎哉？！可不畏哉！

2. 以私人藏書之損毀之往列言

（1）錢氏絳雲樓之火劫：

明末虞山錢謙益（牧齋）藏宋刻書極豐，構絳雲樓貯之，未幾毀於火，宋刻孤本，頃刻成灰，為江左圖書之大厄。

（2）陸氏皕宋樓之變賣：

清歸安陸心源（剛甫）藏書極豐，刻有《十萬卷樓叢書》，儲之皕宋樓。陸氏死後，於光緒三十三年，其子純伯以日銀十萬連同十萬卷樓藏書掃數售與日本三菱系財閥岩奇蘭室，以裝潢其靜嘉堂文庫。中華文獻，淪落異域，除敦煌經卷外，以此為巨！是時汾陽老儒王儀通曾作詩寄慨曰：「三島於今有酉山，海濤東去待西還。愁聞白髮談天寶，望贖文姬返漢關！」武進董康亦慟曰：「古芬未墜，異域言歸，反不如臺城之炬，絳雲之燼，魂魄猶長守故都也。」日人島田翰著《皕宋樓藏書源流考》，末有跋云：「昔遵義黎蒓齋（庶昌），宜都楊惺吾（守敬）購求我邦古本，都市一空（謹案：日人明治維新之時，亦犯激進幼稚病，所藏宋、明舊刻均為棄置，充斥書肆，視同廢紙，價等鴻毛，故黎、楊二氏，得以大量收購，載舶西歸，今故宮博物院所藏楊氏之觀海堂藏書，即是此時收購之一部），今得陸氏，倍蓰昔日所失。」島田識語，可謂躊躇滿志了，吾人今日思之，感受如何？

（3）甘氏崇雅堂藏書之遭水火雙厄：

甘鵬雲，湖北潛江人，藏書至豐，十萬卷藏潛江將廬，二十萬卷藏北平息園，潛江之書以潛陽潰堤而付洪流，而北平藏書則屢遭烽火，淪為紅劫。

（4）丁氏八千卷樓藏書之遭轉賣：

錢塘丁仁為債務所迫，欲售其八千卷樓藏書，消息傳出，國人慮其重蹈陸氏皕宋樓之覆轍，乃請由兩江總督端方斥資購得，運至金陵，於盋山（按：盋字音ㄅㄛ，字或作缽。山在南京龍蟠里，江南圖書館在此，史學大師柳詒徵先生曾主持館務多年）成立江南圖書館以貯之。端方以滿清大僚，而其生平卻有兩事極為國人稱道，一為創立江南圖書館，一為創立四川國學院也。

目前國家藏書機構，以中央圖書館所藏之善本、孤本古籍最為豐富，而其書庫位於市區中心，殊為不宜，故應從速趕製副本存放現址以供學者研究外，其真本極應於郊區築館舍以珍藏之。吾人鑑於以往書劫之慘痛教訓，故於此作曲突徙薪之危言，甚願國人不再河漢斯言也。

其次，我們再討論整理國學資料積極的作用。我國過去的讀書人大都有愛書、藏書的癖好，而此癖好的傾向大都只不過是停留在「玩書」階段而已。換句話說，也不過是把古籍看作一種古董去摩挲把玩罷了，一旦高價購得，則珍祕不再示人，甚且死後用為殉葬，此最可傷痛者。以此古籍的身份只是有價的玩物而已，根本未能發揮其學術之功能。

吾人須知吾人今日欲徹底了解古籍之精義，必須突破語言、文字許多音義上的障礙，以及名物制度的變遷。此項突破的工具往往有賴前人的注釋詁訓。注釋是否精當？則仰賴原書斠理的是否該備！斠理的是否該備，又須仰賴各類版本搜取得是否齊全！如此方能避免魯魚亥豕、郢書燕說之譌也。而且歷代善本圖書，多數都有名家之序跋、題識，均有助於原書精義之發皇，並能對考據提供有力之線索，版本之用大矣哉！

可是，環顧我國藏書機構所藏的古籍數量至為龐大，卻未能充分發揮其極大的功能！何以如此呢？借閱的手續不便啊！因為凡屬善本書，均被編列入各館之特藏組，這樣一來，就不能像一般圖書那樣隨便地借閱了，閱覽人必須有一定的身份，必須有服務的機關學校出具公文交涉，方可進入該館特藏室閱覽，且須配合各館辦公時間，而提調所需之圖書又須臨時在汗牛充棟的書庫中去尋尋覓覓，這對學者而言，就是很大的不便了，而且也浪費了不少寶貴的時間。再次目前古籍分佈最多的機構是中央圖書館、中央研究院和故宮博物院。在臺北，學者欲看某書歷代版本，往往須奔走於一館兩院之間。目前雖多勞苦，然尚可克服，將來光復大陸，各館各歸建制，學者欲看古籍，則恐需南北往返，在空中飛來飛去了。故目前欲解決上述所有問題，惟有將各館古籍統製副本，集中存放此一中心，作開架式的借閱，才是建立文化大國風貌的大道，也才是將古籍推向發揮實用價值的正確途徑了。

此外，我們再談到複製海外古籍問題，自鴉片戰爭以還，我國流失海外的古籍真是無法計其數目，連甲骨文的骨片也流失在外至多。而敦煌文物的精華則幾乎被英籍匈牙利人斯坦因（Aurel Stein）、日人橘瑞超和法人伯希和（Paul Pellioe）囊括一空，現今分藏倫敦、東京、巴黎各大圖書館，吾人必須廣為蒐求此類文獻的影本，集其大成於國學研究中心，才真正能使我國成為全世界研究中華國學的中心樞紐了。

五、今後「漢學會議」之分組問題

今年在臺北的首次「漢學會議」，成果最為豐碩的應屬史學及文學，其他則未及與聞。史學方面，因為主辦單位在歷史考古組舉行了「中國知識份子討論會」，故學者能循歷史途徑去探討某一朝知識份子的心態與思想，這個專題，似乎已引導了「史」、「子」合流，是可喜的現象。參加者共宣讀了七篇有關本題的論文，但它的基本仍屬於歷史的觀照，而非諸子哲學內涵的探求，這可能是主辦單位鑒於會期僅限三天，故今年的討論重體祇限於以史學為中心的罷！不然，就應該要分「哲學組」或「群經及諸子哲學組」了。文學方面，中國是個詩的民族。此次會議，論詩詞的有十四篇，元曲一篇。小說方面，據說論文共有三篇。報上僅報導與會學者以「金瓶梅」為題發表論文，並加討論，其他則未與聞，甚至連「紅樓夢」那樣的「顯學」亦未聞提及。當然這都可能是受時間與環境的條件所限制而不得已的現象，但卻予人以偏勝而不夠照顧全體的印象了。來年如再舉辦，則時間務必求其從容，經費務必寬籌充足，參與者亦須廣為網羅，方能使會議之內容更見充實，討論範圍更為廣博。分組方面，除以類區分：哲學、文學、史學、禮制、兵學、方技、語言文字、藝術……各組而外，各組下應再分小組，如：哲學下分：儒家、道家、墨家……各小組。文學組下分：詩歌、小說、散文。語言文字組下分：文字學、聲韻學、文法。史學組下分史前、上古、中古、近代。蓋我國為歷史悠久之文化古國，其文化內容之廣大、浩瀚，一如煙海，必須分組細密，方能使參與之學者各能顯其所長，提出更為精密、更有系統、更有創見之研究成果也。中國學術之振興問題，萬緒千頭，實非區區數千言所可概其端倪，今不辭蕪雜，連綴成篇，狂夫之議，亦冀明時有所采摭耳！

《徐幹中論研究》[1]版本考後補暨無求備齋《中論》藏本考索

一、前記

余斠讎《徐子中論研究》既竣，付印有日，忽於三月之十三日《中央副刊》得讀無求備齋主人嚴靈峰前輩發表之〈無求備齋見藏徐幹中論題記〉宏文，捧讀之竟，欣躍莫名，蓋嚴氏所藏，據其考辨或可早於余於中央研究院史語所所見之明弘治間黃紋刻本也。

嚴氏為當代藏書巨擘，於目錄、版本之學，尤所擅精，所集《無求備齋老子集成初、續編》、《無求備齋論語集成》、《無求備齋孟子十書》，蒐羅該博，士林重之。而所著《老莊研究》、《道家四子新編》、《無求備齋學術論集》諸書，體大思精，慮周藻密，尤為治老氏學者之圭臬也。

余至友鄭成海兄，從嚴先生治老氏之學，年前得嚴氏指導，成《老子河上公注斠理》鉅著（中華書局出版）。該著鉤深取極，表見發明，固鄭兄之力；而流傳海內外之珍本、孤本，均能鉅細靡遺，捃採齊備，則胥賴嚴氏之賜矣！嚴氏

[1] 拙著《徐幹中論研究》已於臺灣商務印書館出版。

之獎掖後進，不遺餘力；傳道精神，未讓古人。余心儀其人，無緣識荊，今得讀此一與拙著《徐子中論研究》有關之宏文，因成海兄之介，得見斗山，賜談之餘，承慨允將其珍藏《中論》版本見示。嚴氏以一人之力，庋藏版本，竟多為國家藏書機構所未可企及者，厥於保衛文化之功，寧不偉哉！

余原擬將嚴氏所藏《中論》珍本，考論編次於拙著《中論版本考》中，以書館製版成型，變易不便，故不得不商諸嚴氏，承慨允可考之以作後補，《中論》版本，於今之可見者可謂小成矣！而嚴氏復允將其宏文錄為本篇後軸，前輩風神雅量，廓然至公，尤余所感發難忘者也。

二、《中論》版本考後補

無求備齋現藏《徐幹中論》本

無求備齋主人連江嚴靈峰先生藏

每半葉八行，行十六字，楷書近北宋體，烏絲欄，左右雙欄，花口，版口正中刻「中論」二字，首行《徐幹中論》卷之幾，次行篇名，「治學第一」下有「靈峰藏書」朱印，「無求備齋」陰文藍墨章，「連江嚴氏」朱印，「靈峰藏書」圓形藍墨章，「奇文共欣賞」朱印，「虞山埜老」朱印，書前為無名氏〈徐幹中論序〉，首行下集藏書家朱墨印章均見嚴氏〈中論題記〉，茲不具錄。又次為曾鞏目錄序，又次為〈徐幹中論目錄〉上下卷共二十篇，書腦四針線裝，上下二冊，每葉均加襯裡，裱褙細緻，腐蝕雖多，而字跡無損，以庋藏得當，無蠹痕，亦無脫頁，無名氏原序第四頁之大墨釘，橫駕兩行之間，相當四字之體積，他本均未之見。而其紙質細薄，水暈徧爛，尤較他本為古樸。嚴氏以此本為弘治本之祖本，良有以也。

三、附錄嚴靈峰先生《中論》題記

〈無求備齋見藏徐幹中論題記〉 嚴靈峰

《中論》二卷，《四庫全書提要》云：「漢徐幹撰，幹字偉長，北海劇人。建安中為司空軍謀祭酒掾屬，五官將文學；事蹟附見《魏志・王粲傳》。……是書隋、唐〈志〉皆作『六卷』，《隋志》又注云：『梁目一卷。』《崇文總目》亦作『六卷』，而晁公武《讀書志》，陳振孫《書錄解題》並作『二卷』，與今本合；則宋人所併矣。書凡二十篇，大都闡發義理，原本經訓而歸之於聖賢之道；故前史皆列之儒家。曾鞏〈校書序〉云：『始見館閣《中論》二十篇及《貞觀政要》，太宗稱，嘗見幹《中論・復三年喪篇》，今書獨闕，又考之《魏志》，文帝稱，幹著《中論》二十餘篇，乃知館閣本非全書也。』而晁公武又稱，李獻民所見別本，實有〈復三年〉、〈制役〉二篇。李獻民者，李淑之字，嘗撰《邯鄲書目》者也。是其書在宋仁宗時尚未殘闕，鞏特據館閣不全本著之於錄，相沿既久，所謂『別本』者不可復見；於是二篇遂佚不存。又書前有原序一篇，不題名字，陳振孫以為幹同時人所作，今驗其文，頗類漢人體格，知振孫所言不誣。惟《魏志》稱，幹卒於建安二十二年，而〈序〉乃作二十三年二月，與史頗異，傳寫必有一訛，今亦莫考其孰是矣。」按：清咸豐二年錢培名輯刊《小萬卷樓叢書》，曾收入《中論》二卷，並引據《群書治要》、馬總《意林》及唐、宋類書加以校勘，成《札記》二卷，末附「逸文」，即從《群書治要》中錄出〈復三年喪〉及〈制役〉二篇者也。考《宋史・藝文志・類事門》有《群書治要》十卷，其後久佚，流入東瀛，日本天明五年（西元 1785 年，即清乾隆五十年）尾張國校督學細井德民，始從古鈔本校訂刊行；《四庫》未收，故館臣作「提要」時尚無所知也。見藏《中論》明刊諸本，有：程榮輯刊《漢魏叢書》本，胡維新輯刊《兩京遺編》本，明弘治十五年壬戌吳縣黃華卿重刊元至治三年陸友仁所刊（？）宋紹興二十八年石邦哲校朱丞本，明嘉靖四十四年乙丑青州知府杜思重刊弘治本，上海商務印書館《四部叢刊》即據此本而景印者，據周弘祖《古今書刻》，明刊尚有江西南昌府及南直隸常州府二刻本，弘祖書刊於隆慶三年，則上舉二種刻本，固亦當刊於隆慶之前矣。惜此二本，余未及見。近以無求備齋藏本校中央研究院傅斯年圖書館見藏明弘治刻本，知無名氏〈原序〉第三頁六、七兩行之墨釘，已為弘治本所補刻，第六行補刊「人之道」三字，第七行補刊「貞之賢不」四字，〈貴驗篇〉第一行墨釘亦補刊「亦」字及下「其」之上半「其」字。此外，如〈原序〉第四頁、〈曾鞏序〉第六頁、上卷〈貴驗篇〉第二十二頁、〈貴言篇〉第二十四頁、〈藝紀篇〉第二十八頁、下卷〈曆數篇〉第十六頁、〈審大臣篇〉第二十九頁、〈慎所從篇〉第三十四頁及三十八頁、〈賞罰篇〉第四十二頁，其墨釘俱未改動；足證此本為弘治本之祖本，而嘉靖本則為一再重刊之本也。慠齋所藏此本為虞山錢氏舊物，有「虞山錢曾遵王藏書」及陰文「虞山埜老」二圖記，然錢氏《也是園藏書目》卻作五卷，其所著《讀書敏求記》亦不著錄；殊可異爾。書中尚有「齊印召南」陰文方印及「相與有成」、「奇文共欣賞」二章。既稱「虞山埜老」，當係錢氏晚年藏書，尋為齊召南所得者；最後歸於三山陳氏居敬堂。民國二十九年日軍佔領福州，余之福建省立第一師範同級同學李永選兄購於市肆。迨三十四年丁母憂奔喪返閩，李兄持以相贈，如獲瑰寶。未審此本是否南昌府或常州府之刻本？比弘治本紙質細薄，字體似在南宋、元、明刻本之間；豈即陸友仁所刊本邪？果爾，則此書為天地間之孤乘，亦彌足珍貴矣。永選，字雋卿，閩之長樂人，豪放不羈，雅好篆刻詩畫；陷身大陸，生死莫卜。睹物懷人，亦可傷也已！

——中華民國六十二年二月識於臺北市[2]

四、對無求備齋《中論》藏本之管見

無求備齋藏本，嚴氏以藏書鉅擘，目錄名家，於右錄「題記」中對此本之考辨，排比異同，明當精審；縱述經緯，淹博深湛，建末學膚受，於前輩卓見，本不敢贊一辭。

2 嚴靈峰前輩之宏文錄自中華民國六十二年三月十三日《中央日報‧中央副刊》，該文並承嚴先生親手校正數字。

惟該本究為何時所刻，嚴氏謹厚長者，亦未輕予認定，今試依嚴氏主張，酌加考索，以就正於博雅君子。

一、嚴氏認定該本為弘治本之祖本，可信而有徵者：

甲、以該本之板本行款言：

（一）無求備齋藏本：（以下簡稱「嚴本」）

每半葉八行，行十六字，左右雙欄，花口，版口中縫刻「中論」二字，首行《中論》卷之幾，次行篇名第幾。

（二）明弘治間黃紋（華卿）刻本：

每半葉亦八行，行亦十六字，左右亦雙欄，版口亦花口，中縫亦刻「中論」，惟加刻卷數及頁數，首行亦刻《徐幹中論》卷之幾，次行亦篇名第幾。

（三）明嘉靖乙丑杜思刊本：

每半葉亦八行，行亦十六字，左右亦雙欄，版口亦花口，中縫亦刻《中論》卷數及頁數，首行《徐幹中論》卷之幾，其下則加刻有「四明薛晨子熙校正」字樣矣。

嗣後上海涵芬樓景印傅氏雙鑑樓資深堂杜思刊本，上海商務印書館縮印資深堂杜思刊本，臺灣藝文印書館景印明刊本，皆據此本。

其餘各本，則版式各異，如：

（一）明萬曆間胡維新刻《兩京遺編》本：

每半葉九行，行十七字，左右雙欄，雙魚尾，花口。

（二）明萬曆間程榮刻《漢魏叢書》本：

每半葉九行，行二十字，左右雙欄，單魚尾。

嗣後何允中刻《廣漢魏叢書》，張邦翼《增訂漢魏叢書》，均依此本覆刊者，茲不贅。

至明《說海彙編》刊本，版式與程榮本類同，茲亦不贅。

（三）清王謨刻《漢魏叢書》本：

每半葉十行，行二十字。

錢培名刻《小萬卷叢書》本，與王謨刻本率同，茲不贅。

（四）清黃元壽輯《漢魏叢書》石印本：

每半葉二十四行，行四十字。

見存各本當中，惟黃（紋）本、杜（思）本與嚴本類同、晚出各本，就行款版式言，無一相似，足證此本出於弘治之前，絕非孝宗以後之物矣！

乙、以該本所附之序跋文獻言：

嚴本書前除無名氏《中論》序、曾鞏校刊《中論》序外，無任何序跋。至弘治間黃紋刻本，除書前有無名氏《中論》序、曾鞏刻《中論》序外，書前則有弘治壬戌前進士姑蘇都穆書後、宋紹興二十八年石邦哲題識、元至治平原陸友友仁父題記。明嘉靖杜思刊本，書前除清藏書家楊守敬氏親筆題識外，即為無名氏《中論》序，次曾鞏《中論》序，次明杜思書刻《中論》序，次〈中論目錄〉，再次為宋石邦哲題識，再次為元陸友友仁父題記，書後有明弘治前進士都穆書刻《中論》後。明胡維新《兩京遺編》本，書前有無名氏《徐幹中論》序、曾鞏《中論》校序、元平原陸友友仁父題記。明萬曆間程榮刻本，書前為無名氏《徐幹中論》序，次為曾鞏校刊《中論》序，又次為杜思刻《中論》序，書後有宋石邦哲題識、元平原陸友友仁父題記、明都穆書《中論》

後。

綜觀上舉所具代表性版本中之序跋，足見嚴本確為較早之版本，蓋舍漢、魏時無名氏之原序外，即為宋之曾鞏序錄。元、明諸家序跋，不僅未見剞劂，即親筆題記，亦不可得，足見嚴本不僅超邁有明各本，真可逕追北宋矣！何則？該本既無宋石邦哲、元陸友仁之題記，安知非即曾鞏所刻本邪？今所可懷疑者，即周弘祖《古今書刻》中所記明刊本中之「南昌府本」及「常州府本」尚未發理，未稔嚴本為該二本中之一否？設能得該二本以印證之，則可洞悉該本之究竟矣。

丙、以該本之墨釘言：

嚴氏已將其藏本與弘治本細加斠比，墨釘差異，亦於其「題記」中言之綦詳，「嚴本」中墨釘處，弘治本已多加補刊。以版本遞嬗過程言，所以愈早，主刻者態度嚴謹，設有脫簡，則概以墨釘、白匡充之，以存其真，明清刻家，或以他書校正補充（如錢培名依《群書治要》、《意林》及唐、宋類書校勘訂正）。亦有出於己意私加增補者（如明楊德周所輯《建安七子集》中之《徐偉長集》，校訂脫誤，雖較程榮刻本近情，然改易未言所本，似有多出臆度者），可知版本凡晚出者墨釘愈少，而校勘愈益完善，此亦可證「嚴本」早於弘治刻本也。

丁、以字體言：

嚴本字體，均仿顏真卿、歐陽詢（率更體）筆意，厚樸古拙，全然北宋風格，無南宋瘦金氣息，亦不若元，明之有松雪（趙孟頫）筆意，更非板滯不靈之匠體，或柔媚無骨之寫體字，益知此本實超邁明、清之古物矣！

二、嚴氏疑其藏本為元至治陸友仁所刊之假定，尚有商榷餘地者：

（嚴氏「題記」作此說時，亦標以「？」號，足見前輩治學態度之謹肅，於未可確信之事，則亦不肯輕作論定也。）

甲、以序錄文獻言：

《中論》自弘治本以次，各本多附刻宋石邦哲題識及元陸友仁題記，其原文曰：

> 紹興二十八年戊寅清明日，假朱丞本校于博古堂，石邦哲識。

> 《中論》二卷，漢司空軍謀祭酒掾屬五官將文學北海徐幹偉長譔，有序而無名氏，幹鄴下七子之一人也，建安之間，疾辭人美麗之文不能敷散道教，故著《中論》，辭義典雅，當世嘉之。按《唐志》六卷，今本二卷二十篇，宋大理正山陰石邦哲手校題識。邦哲字熙明，再世藏書，至治二年得之錢塘仇遠氏。明年夏五月己酉，平原陸友友仁父題記。

上引題識，《中論》見存各本，除「嚴本」外，多有刻附，究其文義，可得數端：

（一）石邦哲題識部份：除紀年可知為南宋高宗間外，其「假朱丞本校于博古堂」句，吾人玩索可得其二：

(1) 「假朱丞本校」，既云「校」字，則石氏必另有一本，而假「朱丞本」校之，則石氏所持之另本亦當為舊刻者，該本可稱為「石氏博古堂藏本」或「石本」。

(2) 由石氏自行剞劂而以朱丞本校之，則石氏刻本即為「博古堂本」矣！然則石本所祖之本又為何本邪？陸友仁題記謹稱石氏「再世藏書」，則石氏刻書似又無可能，縱無可能，石氏所持必有別本，而以朱丞本校之，殆無疑問矣！

（二）陸友仁題記部份：吾人玩索亦可得其二：

(1) 陸氏題記有「今本二卷二十篇，宋大理正石邦哲手校題識」句，句中「今本」，此「今本」上有「石邦哲手校題識」，則陸氏所得「今本」，必非朱丞本無疑矣！何則？蓋「假朱丞本」之「假」字，可訓為「藉」，亦可訓為「借」，如訓為「藉」，既藉朱丞本為校勘藍本，石氏自無可能於藍本中手校而「題誌」之矣；如訓為「借」，則此朱丞本既為「借」來，石氏自益無於其間信手塗墨之理矣！以此當知陸氏所得乃為石氏校本，然該「朱丞本」又何往邪？

(2) 石氏校本（或「博古堂藏本」）陸友仁氏於元至治二年得之於錢塘仇遠氏，而於至治三年五月題記者，考宋高宗紹興二十八年（西元一一五八年）至元至治三年（西元一三二三年），其間相隔一百六十五年，陸氏得此舊籍，自極珍惜，故詳予題記也。然於其題記中，既未云重刻，復未言校勘，僅加此一「題記」而已，以此，則知「嚴本」為陸刻之可能極渺，即為陸氏所見之「石本」亦不可能，蓋其間不僅無陸氏親筆題記，且無石氏題識也。然則「嚴本」即「朱丞本」邪？抑與「朱丞本」或「博古堂藏本」同版覆印之另本邪？古籍迷離，難尋蹤跡，嚴氏以之存疑，益見其用心之深且苦也。

乙、以該本之墨釘言：

考訂版本之次第，大率以墨釘多寡而別其遠近，嚴氏所著亦準此推論，本文前節亦略論及，唯揆諸事實，亦有悖於常理者，蓋所祖成本，容有不同；校刻寬嚴，旨趣各異。如國立中央圖書館見存明程榮刊本即有其二：一加白匡（朱筆點校本），一則無之（明萬曆二十年本）。同一人校刊者，其猶差異如是，他本又何堪道哉？!

三、結語：

綜上所述，無求備齋見藏《中論》版本究屬何代所刊，歸納言之，可得結論如次：

（一）此本即為北宋曾鞏校刻本：蓋此本捨曾序而外，未見其他，館閣所刊，數量必夥，必非僅一孤本行世，此本陳跡斑斑，何可謂非宋物邪？

（二）此本即為「朱丞本」，蓋惟朱丞本無石氏（邦哲）題識，若為石氏博古堂刻本，自亦附刻其題識矣。

（三）此本有「虞山錢曾遵王藏書」、「虞山野老」藏書圖記。錢氏為牧齋族孫，牧齋絳雲樓燼餘，悉為藏弆，宋刻孤本，劫後亦多有所存，「嚴本」於其〈藏書記〉中雖未著錄，然印章朱墨燦然，無挖改痕跡，當非書賈偽造，自亦可證明為有明以前乃至北宋舊物矣！

（四）此本或即明刊「南昌府本」或「常州府本」兩者之一，蓋不錄石（邦哲）、陸（友仁）題記，明、清本亦有見之，如明何允中本、《說海彙編》本、楊德周輯《建安七子集》本、清王謨刻本，故亦不能因二人題記之有無而論斷其絕非明本也。安得獲此兩種刻本於寰宇，以破此學術上之迷宮邪！

——《臺北商專學報》第 2 期（1973 年 6 月），頁 1-7。

淺論中華文化復興運動的意義及其取向

一、前言

自先總統　蔣公於民國五十五年明令訂定每年十一月十二日　國父誕辰紀念日為中華文化復興節，發起中華文化復興運動以來，很快的已經十七個年頭了。這期間，從中央以至地方，除了已先後成立了有關這一運動的推行機構之外，文化復興工作，也已經全面的展開。唯對文化復興運動的意義，　蔣公雖迭經明示，仍恐一般國人，見仁見智，或有異同，今僅以個人心得，粗述其旨，幸同仁諸君，多所匡謬。

二、中華文化復興運動的意義

（一）文化復興的意義

「文化」（Culture）一詞，即含文治的意思，廣義的說：凡人類政治、經濟、宗教、法律、哲學、科學、倫理、藝文的活動均屬之；狹義的說：則僅就人類的思想、藝文活動而言的，如道德、哲學、文藝等均屬之。

「復興」一詞，按「復」字的意思，《說文》說：「往來也。」《易經・雜卦》說：「復，反也。」《孟子・盡心下》說：「糜爛其民而戰之，大敗，將復之。」此「復」是「再」之義。「興」字的意思，《說文》又說：「起也。」《詩經・天保篇》說：「盛也。」《史記・樂書》說：「生也。」按此復興一詞的本意，就有「再生」、「再起」、「回到極盛的時代」的意思，這正與十四世紀意大利「文藝復興」（Renaissance）一詞的原義不謀而合，而我國此時此地推行文化復興運動意義的積極性與創造性，比之當年意大利的文藝復興運動更加廣泛。因它不僅專指藝文活動的復興，且包括了固有道德的重整、科學精神的建立，以及政治、教育的革新和經濟建設的開展。

（二）中華文化復興運動的特性

中華文化復興運動的特性應是開明的、剛健的，且能涵蓋一切的，客觀而言：「復興」絕不是「復古」，古道可存，古人的生活方式、工具、器皿，絕不可能完全恢復；同時，「復興」也不是完全「創新」，蓋生活方式可變，而倫理、道德絕不可能變，至於「衛道」或「西化」的論爭，就事實言，本可不必，因為凡我之固有且完美無缺的，自當以剛健的態度發揚而光大它；凡我之所無，且必須採以濟我之短的，自當吸收之且須以開明的態度研究而發展它。中華文化博大精深的成就乃在有兼容並蓄的特性，如長江起源，不過尋常一水，迨與嘉陵、漢水合流，才有其浩浩蕩蕩的聲勢，直至下游，孰為江水？孰為漢水？誰還能去區分呢？漢、唐之世，佛學東來；有清中葉，歐風東漸，不知不覺間，文化彼此交流，而生活也互為影響，盲目的排拒，或一味的盲從，均非正途，但能發揚民族的智能，建立本位的文化，再進而以剛健明朗的態度去攝取他人的文化，才是我們今日從事文化復興運動應走的途徑。

（三）中華文化復興運動的價值

1. 傳統哲學的價值

中華文化的道統，起自堯、舜、禹、湯、文、武、周公，至孔子而集其大成，它的政治哲學，則是由個人的格物、致知、誠意、正心、修身，以達到齊家、治國、平天下的目的。它的政治理想則為建立「天下為公」、「世界大同」的社會。我們可就《禮記・禮運大同章》的內容裏，得窺我國先哲傳統哲學的價值：

（1）政治制度：「選賢與能，講信修睦」。「選賢與能」，即孟子所謂的「賢者在位，能者在職」；「講信修睦」，即國家與國家間必須講求信譽，建立親睦的友誼，只見玉帛，不動干戈。際此國際風雲日蹙的時代，如此崇高的政治理想，又豈僅是我一族一國努力的目標呢！

（2）社會制度：「人皆不獨親其親，不獨子其子，使老有所終，壯有所用，幼有所長，矜、寡、孤、獨、廢、疾者皆有所養。男有分，女有歸……」這真是最完美的社會安全制度了，這裡面已提示了「充分就業」、「社會保險」、「社會救助」、「社會福利」、「社會教育」的構想；指示了解決「失業問題」、「婚姻問題」的原則。試觀近代美國羅斯福總統所實行的社會政策，及英相邱吉爾氏所行的社會安全法案，似乎也沒有超越這些縝密的範疇！

（3）經濟制度：「貨惡其棄於地也，不必藏於己；力惡其不出於身也，不必為己！」完全以合作為基礎，以服務為目的。試觀目前共產國家之大私有制度，以及自由經濟國家的獨占制度，較之我國先哲完備的理想，其落後的程度又何以可以道里計。

2. 時代潮流的需求：

國父蒿目時艱，乃起而救亡圖存，足跡遍世界，潛心研究，實地考察，一則繼承堯、舜、禹、湯、文、武、周公、孔子之一貫道統；一則採擷歐美的政治制度；一則為他聖睿之智的創見，纔能完成其通古今、貫中外、放之四海而皆準、百世以俟聖人而不惑的偉大鉅構。今撮舉其要，以見其可大可久的不朽的價值：

（1）倫理建設方面：民族主義在發揚傳統道德精神及固有文化，對內求各民族一律平等，對外求各民族均能獨立，以民族自決、自立，達到國際平等為目標，最後達到世界大同的目的。我政府一向本此精神，對內則盡力扶助邊疆同胞及少數民族，無論升學、就業機會均予優先及保護；對外則扶助弱小民族，援助落後國家，力主和平共存，並能以德報怨。試觀目前匪、俄的奪權內鬨，以、阿的連年戰禍，美國的黑白糾紛，欲待解決，只有實行我　國父遺教為唯一的途徑。

（2）民主制度方面：民權主義的政治主張為「全民政治」，對政府的要求是「權能區分」。全民政治的政治，則不至於被少數資本主義者操縱把握，更不至於被一個階級去暴力專制。至於「權能區分」則是「專才政治」的政治。政府有能，這個政府自然是一個有效率、能負責的政府了。朝無倖進，野無遺賢，較之西方的「門閥政團」、「階級專政」的失當的措施，其高明的差距自不可以道里計。

（3）科學發展方面：　國父既以民生為歷史發展的中心，舉凡一切科學自均以改善民生為目的，凡有益於民生的，即為有用的科學，反之，即為有害的科學。美國太空人登陸月球的成就是偉大的，但仍無助於國內局部的貧窮、黑白問題、嬉痞問題的泛濫，可見物質文明仍不能解決人生一切的需要。　國父民生主義建設的目標，不僅運用科學以解決國民食、衣、住、行的需要，且特別重國民育樂的問題，我政府在臺實施民生主義的政策，已逐次做到家給人足、一片繁榮的氣象，友邦人士，讚譽有加，事實既有如此成就，吾人益當晨夕惕勵，以求更大的進步。

三、中華文化復興運動的方向

(一) 近百年來中華文化的遞嬗

1. **復甦時期：**

滿清末造，我中華民族，內受腐清政府的壓迫，外受帝國主義的蹂躪，民族尊嚴，蕩然無存，而傳統的民族文化，自也飽受摧殘。幸賴我　國父的誕生，手創了三民主義，一心物，合知行，通天人，贊化育，不僅上追堯、舜、禹、湯、文、武、周公、孔子之正傳，並且指示了倫理、民主、科學建國正常的途徑。　國父心血的結晶，不僅可行於當世，更可行之於恆久，不僅可行於中國，也可造福於世界。明德至善，光輝日新，中華道統自堯、舜傳至孔子而絕，自國父誕生，不僅上追幾千年中絕的文化，且能踵事增華，吸取、獨創，發揚而光大之。　國父的集大成，與孔子的集大成，實可相互輝映，先後媲美的。

2. **曖昧時期：**

自　國父二次革命後，革命武力，偈處南隅，因此革命的主義，也因軍閥分崩離析的割據，不能弘揚到全國。可是一些近百年來飽受內外壓迫的知識份子及廣大的群眾，以潮流的演變及事實的需要，在未及獲聆　國父救國的主義及方略之先，他們就急病亂投醫的揭櫫了或接受一些外來的片面的所謂救國的主義，諸如：「國家主義」、「社會主義」，以至「世界主義」等。但最能引人入勝的莫過於「自由主義」及「民主主義」了。「五四運動」時，大家高喊「德先生」（Democracy）、「賽先生」（Science），即認定這「民主」與「科學」為唯一救國的途徑，實則這些理想均已包蓄在　國父的三民主義的構想之中。而　國父的大同理想絕不同於當時不切實際的「世界主義」，　國父的民族主義也絕不同於當時狹隘的「國家主義」，　國父的民權思想自不同於西方資本主義太濃的民主主義，　國父的整體自由思想，自不同於西方極端個人的自由主義，　國父的經濟思想，既不同於歐美的資本主義，更不同於馬克斯的共產主義，但他的主義卻隳括各家主義的缺點而吸取他們的優點，何以故？這是國父積數十年的研究，考覈得失，嚴予去取得來的。 國父的救國主義是持重的，切合實際的需要且又有其實施步驟的。

然而，事實是可悲的，即這救國的寶典，並沒能為當時一般知識份子所接受，一部份人自歐洲法國及蘇俄帶回了馬列的共產主義，一部份人自新大陸帶回了美國自由民主的思想。共產主義數十年來禍國殃民的暴行，早已成為不爭的事實，而當年高喊自由民主運動的先驅們呢？卻在無意之間為共產主義者鋪下了坦平的發展的道路。我們無意於批評新文化運動的領導者們，他們的用心是良苦的，他們的動機也是純正的，而他們中學術道德的成就，也是值得世人尊敬的，但就事論事，新文化運動固有其不可磨滅的影響與功績，但卻也寫下了不可彌補的錯失！當時大家因為要喊「民主」，故而不能不去「反封建」；大家為了要喊「自由」，故而不能不去「反專制」；大家要新，故不能不反「舊」。因此，舉凡傳統的制度，都是「封建的制度」；舉凡傳統的道德，都是「腐敗的道德」；「舊文學」是「死文學」；「舊藝術」是「死藝術」；一律要打倒，一律要推翻。可憐我中華文化自海禁大開，國防、經濟的防線為敵人所打垮；而固有文化的根本，卻被自己少數知識份子所斲斷！

因為新文化運動的浪潮衝毀了傳統文化的堤防，原有的一切都被摧毀，新的種子還未萌芽，移植過來的文化又不盡能適合我們的土壤，形成青黃不接，一片真空的現象，就在此時，共產黨來了！共產黨打著大旗，以其魔鬼的本質，披上天使的外衣，大搖大擺的來了。他不用打口號，就是利用你新文化運動者們所喊的口號。他不只喊口號，還以行動去做青年們所歡迎的口號，你們要「自由」，我就給你充足的自由，脫離你們的家庭，批評你們的尊長，脫離父母的包袱，自主你們的婚姻；你們要「民主」，我可幫你們大翻身，鬥爭師長，鬥爭長官，公審批評，集會遊行，讓你們得到民「主」的滿足！

「自由」、「民主」運動本身也許並不錯，但這一運動事實卻瓦解了我國幾千年來傳統文化精神的武裝！也可說自由民主主義在無意中做了共產主義的溫床。我們試觀五四運動以後，一般文壇活動的現象，可見這些話不是無根的空談。

前文已經說明，狹義的文化，僅就思想、藝文活動而說的，而以藝文活動去傳播思想又最易為廣大群眾所接受。俄共深知這一點，即提出「文藝是政治的工具」的原則，他們為了爭取廣大的農工大眾，又提出了「普羅文學」的口號，他們並且捧出了貧苦出身的高爾基做偶像；他們為了鼓勵叛逆與鬥爭，就儘量宣揚普希金的詩作，此外諸如戲劇、音樂、美術（尤以炭畫及木刻，因其線條及畫面有樸質的美，易為大眾所接受）均為其進行「階級革命」的工具。

而五四運動以後的中國如何呢？自新文化運動者們（不幸這其中的領袖就有中國共產黨的創始人陳獨秀、李大釗等）一面喊出了建設性的「科學」與「民主」後；一面又喊出了「打倒孔老二」、「燒掉線裝書」的破壞性的口號！當建設性的口號還僅為知識份子的美夢尚未能付之實現的時候，而破壞性的口號卻已發生了極大的狂飆。年輕的一代，大家先從家庭「革命」起，反對「吃人的禮教」，反對婚姻的束縛，提到孔子，就是「落伍」；誰講道德，就是「反動」。

新文藝作家中除茅盾、丁玲、鄭振鐸、成仿吾輩，原本紅色作家處處傳播毒素外，而以尖酸刻薄以罵人為能事的《阿 Q 正傳》的作者魯迅（周樹人）也被年輕的一代狂熱著，匪共為了爭取這一偶像，不惜先予一切的打擊，然後爭取他、掌握他，封他為左翼作家的領袖，譽為「東方的高爾基」，爾後甚至在延安成立「魯迅學院」，以進行其傳播毒素的陰謀。此外，一些作家如巴金、葉紹鈞、老舍、郭沫若，劇作家如曹禺、田漢，畫家如豐子愷等，其作品均在或多或少地宣洩對現實的不滿，誇大社會的黑暗，以破壞我國傳統的守分純樸的精神。這一時期，無論小說、詩歌、戲劇、漫畫或木刻，大致多為抒發苦悶或不滿現實的作品，間接或直接的為匪共舖路，以遂其擴大叛亂、竊據大陸的陰謀。這一時期的中國文化，堪稱為曖昧的文化，狂亂的迷失的文化！

3. **復興時期：**

自大陸陷匪以後，我們深切反省，這次的失敗，並非是單純的軍事的失敗，而是整個民族思想崩潰、道德衰微、情操墮落、文化沒落的失敗。故政府遷臺初期，以鑒於匪共思想滲透戰術的可怕，曾將含有毒素或類似的書籍禁止傳播，而這一時期的文化運動亦曾呈現低落現象。自民國四十年，先總統　蔣公號召四大改造運動，即曾作「整頓固有文化遺產」及「建立本位的民族文化」的原則性的指示，這以後，文壇蓬蓬勃勃的三民主義的文藝路線，乃紛紛展開，而其中反共的戰鬥文藝，無論在軍中、在社會，均有其極大的影響及成就。學校方面，也開始重視讀經，教育當局且將

《論》、《孟》、《學》、《庸》四書精選成編，以供中等學校的學生普遍的研讀。至民國五十五年， 蔣公指示明定 國父誕辰為「文化復興節」，隨即發起推行文化復興運動，並指示倫理、民主、科學為復興文化、建設國家的目標。垂死的國魂，於焉復甦；迷失的文化，從此又大放光彩了。

（二）中華文化復興運動的方向

中華文化復興運動的方向，就其性質而言，應是全面的，而非片面的；是持久的，而非短暫的；是整體的，而非個別的。至其方向， 蔣公迭經明示，即以發揚倫理、民主、科學的精神以創造三民主義的新世紀。今謹以此精神，分述其途徑及成就：

1. 倫理建設方面：

蔣公於民國五十五年發起文化復興運動之前，是年三月，即曾指示政府「加強推行社會教育改進國民生活」。自推行文化復興運動後，復於民國五十七年四月十二日手訂中、小學生「生活與倫理」、「公民與道德」之指示，此一文獻，與民國二十三年在江西南昌倡導新生活運動之「新生活運動指導綱要」先後互映，都是振衰起弊的偉大貢獻。

在國民教育方面，由六年國民教育延長為九年國民教育，以消除升學主義的弊端，以加強體能品德的訓練，以培養活潑健康的兒童，蔚為身心健全的好國民。高等教育方面，大學已早設置中文研究所，招收高級研究生，廣設文化學術獎助金，以鼓勵研究國故，發皇固有的文化。

出版方面，已多能推陳出新，學術機構並能將善本圖書公開印行，以鼓勵國人普遍研究的風氣；而文藝活動之在軍中，尤多燦爛奪目的成就，其無形影響，固不可言狀，但綜合近來引動全球矚目的成就，最顯著的則有：

（1）中華少年棒球隊的迭次揚威海外：其最大的成就不只是取得冠軍，而且彬彬有禮的風度以及守紀合作的精神，使得友邦人士為之傾倒、驚羨與讚譽。

（2）中華兒童交響樂團訪菲的成功：被譽為「音樂大使」，是「最好的中國國民外交」，「具有成人音樂水準的交響樂團」，「震撼成人樂壇的兒童音樂」。

2. **政治建設方面：**

自中國國民黨號召政治革新以來，黨政關係，已大見調整，黨與政治只求政策上的協調，而不採政務上的干預；行政方面，一面成立人事行政機構，裁汰倖濫，鼓勵退休；一面起用優秀青年，考選飽學之士。司法方面，由消極聽訟審判而改為積極調查。如十餘年前盜豆案、剝蕉案的偵破，檢肅貪污，使國家的稅收大量增加。邇來復舉辦中央級民意代表之增選及補選，處處力求改善公教人員的待遇，種種成就，人盡皆知。

3. **科學建設方面：**

我國文化的基本精神，洵為人本主義。凡有益於人民生活的，即為良科學；凡有害於國民生計的，即當排斥而拒絕之。政府遷臺以還，即著手建設臺灣為三民主義模範省，工業方面，到處工廠林立；農業方面，自實施「耕者有其田」的土地政策後，糧食已大量增產，不僅自足，且以外銷；而交通的開發及新社區的發展，高樓大廈，矗立連雲，「住者有其屋」的政策已逐步實施。科學教育，普遍展開。十大建設，均已完成。欲知文化復興運動的成果，試觀全臺各地工廠林立的煙囪，以及田野蓊蓊鬱鬱的稻作，國人穿著整齊，滿足愉快的笑靨，自可想見一斑了。

四、結論

綜合前文所述，我們已可粗知文化復興的大意及其應予努力的方向了，我們但能堅此信心，遵照　蔣公的指示，一德一心，務本務實，不事虛妄，不求近功，自可化涓滴為海洋，積小成為大成。世界動亂，國際正陷於詭譎變化之中，唯我秉「大同」、「博愛」的文化精神可以化除之。吾人從事文化復興運動，非僅自救，兼可解救全人類的危機；不僅自謀幸福，兼可造福全世界。風雨如晦，我們能不奮起力行嗎！

──《教學研究專題報告》第 8 輯。

歸有光著〈項脊軒記〉文體辨略

一、「項脊軒記」篇名之異文

1. 幼獅版《大學國文選》作〈項脊軒志〉，題目下注：「據《四部叢刊》景印康熙重刻《震川先生集》。」
2. 世界書局鉛字排印本《歸震川集》作〈項脊軒記〉，其目錄分類列於卷十六之「記」，而不列於別集卷四之「志」。
3. 世界書局鉛字排印本姚鼐《古文辭類纂》列入「雜記類」卷五十八，題亦作〈項脊軒記〉。
4. 國際書局鉛字排印本曾國藩《經史百家雜鈔》卷二十六「雜記之屬」，題亦作〈歸有光項脊軒記〉。
5. 桐城姚永樸《國文學》下，頁八引《歸有光集》中「不朽之作」，亦作〈項脊軒記〉。
6. 無錫錢基博《模範文選》卷上「瑣敘法」，亦作〈歸有光項脊軒記〉。

謹按：《四部叢刊》影印康熙重刻《震川先生集》作〈項脊軒志〉，世界書局排印本及各選家所集刊均作〈項脊軒記〉，歸氏（西元一五〇六──一五七一）去今僅四百餘年，未算久遠，僅此一篇題目，已有「志」、「記」之異，竊有惑焉，僅依次論列，參比異同，以求其當。

二、項脊軒「志」、「記」異文之探討

(一) 就版本言：

1.「《四部叢刊》景印康熙重刻本」

既云「重刻」，必有其祖本，康熙為有清開國未久，其祖本當為明刊本，此明刊本為何？明代距今未遠，歸集各本，國家藏書機構自多有庋藏，儻重刻本能註明祖本出處，自不難究其端倪，筆者近以事冗，不克往國家藏書機構披覽各本，儻能得此重刻本之祖本，則此「志」字是否刊刻之誤之底蘊不難究詰矣。

惟世界書局排印本《歸有光集》，集前有其曾孫歸莊所識〈凡例〉曰：「此集舊嘗三刻：復古堂本，止分上下卷，不備可知。崑山本，文三百五十餘篇。常熟本，篇數略少，而崑刻所無者殆半……」又曰：「家藏舊本集三十卷。」

歸莊復於書後作〈書先太僕府君全集後〉曰：「先太僕府君文集，凡三刻矣，始府君之門人王子敬，為令閩之建寧，刻於閩中，文既不多，流傳亦少。(按：此即前所述「復古堂本」，或稱「閩刻本」。) 先伯祖某刻於崑山，其人不知文而自用，擅自去取，止刻三百五十餘篇，又妄加刪改，府君見夢於梓人，梓人以為言，乃止。故今書、序二體中，往往有與藏本異者。(按：此即前述「崑山本」。) 其後宗人道傳，又刻於虞山，篇數與崑山本相埒，文則崑山本所無者，百有餘篇，然頗多錯誤。(按：此即前述「常熟本」。) 諸刻皆未備，又非善本……」

謹按：歸莊此跋，文後書明「丁未四月既望」，按考為清康熙六年（一六六七年），書則刻於康熙乙卯（十四年，西元一六七五年），是跋作於前而書刊於後也。惟據歸氏所述，則「《四部叢刊》景印康熙重刻本」即與歸莊所述之書為同一版本，極為可能。

2. 世界書局鉛字重排本《歸震川全集》

本書據何種版本排印，書商無此常識，實學術界之憾事。惟此本後附〈敬跋新刻震川先生全集後〉，有康熙乙卯（十四年）虞山曾姪孫允肅附識。其後有乾隆癸卯（四十八年）六世族姪孫景灝、景伊識語，有謂：「詳加整理，至所有應宜避諱字，悉遵令甲（「甲」疑為「用」之誤）為改正云。」則有乾隆重刻改正本。又有光緒乙亥（元年）歸氏裔孫彭福題識，有云：「詳加校正，重為刊刻。」則又有光緒校正重刊本矣！而世界書局排印本之祖本，當即是此本也。此本既屢經校正，自當較各本為精確，惟此本（光緒校正重刊本）未得，故亦不能擅據此排印本之「記」而遽評彼本（康熙重刻本）之「志」之非也。惟姚姬傳桐城大家，且乾、嘉學人，去明未遠，又特重震川，其所纂古文，嚴謹有方，自不致有輕率誤歸文之「志」為「記」之理，是姚氏所據，乃康熙本以外之別本歟？或二者有一造致魯魚亥豕之誤歟？斯均深值吾人深思者也。

姚氏之後，其後起曾滌生、姚永樸、錢基博諸先生，皆稱一代通儒，而錢先生又為版本學大家（錢氏著有《版本通義》），其所選文自無不詳加考訂之理。而彼等所選引歸文，均作〈項脊軒記〉，是康熙重刻本有誤歟？抑世界排印本之誤歟？抑自姚姬傳以次各家均有誤歟？此又深值吾人玩味者也！

（二）就字義言：

「志」、「記」二字字義異同：

志：《說文解字》：「志，意也。从心㞢，㞢亦聲。」《周禮・春官・小史》：「掌邦國之志。」鄭玄注：「志謂記也。《春秋傳》所謂《周志》，《國語》所謂《鄭書》是也。」是記載之書曰「志」，字亦作「誌」。

明徐師曾〈文體明辨序〉說：「字書云：志者，記也，字亦作誌，其名起於《漢書》十〈志〉，而後因之，大抵記事之作也。」徐氏之見，亦猶視志為典章史志之屬也。按：志與誌通。《正字通》：「凡史傳記事之文，並稱誌。」

記：《說文解字》：「記，疋（疏）也，从言己聲。」徐鍇曰：「疏謂分別一一記之也。」《正字通》：「記，誌也，紀事之辭。」按：經書之注解、記載事物之書均稱記，如《禮記》、〈考工記〉、《史記》是也。就字義言文物度制之記，則此「記」與「志」實亦有互通義。

（三）就文體言：

「志」、「記」兩種文體異途之發展：

梁蕭統《昭明文選》總目選文分類有「墓誌」、「奏記」而無「記」。劉勰《文心雕龍・史傳篇》曰「至於記編同時，時同多詭」，蓋亦專指「記」為「史志」也。

按：隋代以前，記事之文，猶為史志附庸。至有唐代與，散文鬱起，記敘文乃昂然獨立，蔚為大國。昌黎、子厚，實開其風。

明吳訥《文章辨體》曰：「《金石例》云：『記者，紀事之文也。』西山（真德秀）曰：『記以善敘事為主。〈禹貢〉、〈顧命〉，乃記之祖，後人作記，未免雜以議論。』後山（陳師道）亦曰：『退之作記，記其事耳，今之記，乃論也。』竊嘗考之，記之名，始於《戴記・學記》等篇。記之文，《文選》弗載，後之作者，固以韓退之〈畫記〉，柳子厚遊山諸記為體之正。然觀韓之〈燕喜亭記〉，亦微載議論於中，至柳之記「新堂」、「鐵爐步」，則議論之辭多矣！迨至歐、蘇而後，始專有以論議為記者，宜乎後山諸老以是為言也。大抵「記」者，蓋所以備不忘，如：記營建，當記日月之久近，工費之多少，主佐之姓名，敘事之後，略作議論以結之，此為正體。至若范文正公之記嚴祠，歐陽文忠公之記晝錦堂，蘇東坡之記山房藏書，張文潛之記進學齋，晦翁之作婺源書閣記，雖專尚議論，然其言足以傳世而立教，弗害其為體之變也。」

明徐師曾《文體明辨》曰：「〈禹貢〉、〈顧命〉，乃記之祖。而『記』之名似則昉於《戴記・學記》諸篇。厥後揚雄作〈蜀記〉，而《文選》不列其類，劉勰不著其說，則知漢、魏以前，作者尚少，其盛自唐始也。其文以敘事為主，後人不知其體，顧以議論雜之。故陳師道云：『韓退之作記，記其事耳，今之記乃論也。』蓋亦有感於此矣！然觀〈燕喜亭記〉已涉議論，而歐、蘇以下，議論寖多，則記體之變，豈一朝一夕之故哉？……此外又有墓碑記、墳記、塔記，則皆附於墓誌之條。」

徐氏復辨「紀事」曰：「按記事者，記志之別名，而野史之流也。古者史官掌記時事，而耳目所不逮者，往往遺焉；於是文人學士，遇有見聞，隨手紀錄，或以備史官之採擇，或以裨史籍之遺亡，名雖不同，其為紀事一也。」則徐氏視「紀事」亦「史志」別名，與「記」相異。

按：「志」、「記」文體之異，吳、徐二氏，辨之譾矣，記事之「記」，本不可誤為「史志」之「志」。吳、徐二氏明人，震川亦明人，且出吳氏之後（吳訥，明成祖永樂時人），與徐氏同後先（歸氏與徐氏均明武宗至穆宗間人），且歸氏又文宗韓、柳，寧有不聞是道，誤書〈項脊軒記〉為「志」之理耶？

（四）清儒對「志」、「記」文體之見解：

姚鼐《古文辭類纂・序目・序雜記類》曰：「雜記類者，亦碑文之屬，碑主於稱頌功德，記則所記大小事殊，取義各異，故有作序與銘詩全用碑文體者，又有為紀事而不以刻石者，柳子厚紀事小文，或謂之序，然實記之類也。」

按：歸氏所記項脊軒閣子瑣事，不勒碑石，是「記」非「志」，蓋益明矣！

曾國藩《經史百家雜鈔・序例》論「記載門」之「雜記類」曰：「所以記雜事者，經如《禮記・投壺》、〈深衣〉、〈內則〉、〈少儀〉，《周禮》之〈考工記〉皆是。後世古文家，修造宮室有記，遊覽山水有記，以及記器物、記瑣事皆是。」

曾氏復論「敘記類」曰:「所以記事者,經如《書》之〈武成〉、〈金縢〉、〈顧命〉。《左傳》記大戰、記會盟及全編,皆記事之書。《通鑑》法《左傳》,亦記事之書也。後世古文,如〈平淮西碑〉等是,然不多見。」論「典志類」曰:「所以記政典者,經如《周禮》、《儀禮》全書,《禮記》之〈王制〉、〈月令〉、〈明堂位〉,《孟子》之北宮錡章(論王制俸祿)皆是。《史記》之八〈書〉,《漢書》之十〈志〉及《三通》,皆典章之書也。後世古文,如〈趙公救菑記〉是,然不多見。」論「傳誌類」曰:「所以記人者,經如〈堯典〉、〈舜典〉,史則本紀、世家、列傳,皆記載之公者也。後人紀人之私者,曰墓表、曰墓誌銘、曰行狀、曰家傳、曰神道碑、曰事略、曰年譜皆是。」

按:依曾氏所論,非僅典志、傳誌兩者與雜記類未能相類,即敘記類與雜記類亦不能比並。蓋前者記廟堂、記典章、記王公、記方志、記史事,勒石立碑,金匱石室,公諸天下,垂之永久,為名器而作者也;後者記瑣事、記細物、攄胸臆,為託物寄情之作也。兩者之間,相異如此,歸氏大家,寧有不聞,而竟誤記為志者乎?

(五)項脊軒記誤記為「志」成因之探討:

綜前章所述,則歸氏〈項脊軒志〉之「志」,乃「記」之誤,以文體言,當以〈項脊軒記〉為正。其所以形成異文者,成因可為:

歸氏可能因文乘快,以字書「志」、「記」相通,乃信手書記為「志」，觀文中有「余既為此志」句可知。又或有所避諱，乃故以「志」代「記」，若老泉之書「序」為「引」然。且昔人手稿，以剞劂不易，文多有初稿、改定稿、謄清稿之分，多備兩本以上。今假設歸氏手稿亦有兩種，則甲本付甲坊刻，為〈項脊軒志〉；乙本輾轉付乙坊刻，則為〈項脊軒記〉矣！此則最為可能之成因之一。

為康熙本重刻本鏤版錯誤，或為其所據祖本原刻錯誤，此待查考其版本便知，然「志」、「記」二字，無論自篆體至楷書，字形均不相似，不當有此魯魚亥豕之譌。惟歸氏曾孫歸莊所作〈歸集凡例〉則曰：「他書刻本之誤，不過字畫略差，或偶脫一二字耳，惟此書舊刻之誤，不可勝舉，約有四端：有因聲音近似者。有因草稿模糊者。有因頁數顛倒者。有因妄加刪改者……凡此皆因失於校訂，以致傳寫之訛。至妄加刪改，則崑山、常熟二本尤甚，今皆據家藏抄本正之。」歸莊〈凡例〉未書年月，惟其從子歸玠（有光玄孫）附誌有：「康熙乙卯（十四年）孟春望後一日。」則幼獅《文選》所選之影印康熙重刻本，實亦為此本矣！吾人試觀歸氏裔孫彭福〈跋光緒本震川先生集〉有曰「是書初刻於康熙乙卯」，若自〈跋〉語考查歸集版本發展，則康熙版本實僅此一乙卯本耳！若然，則此本與世界書局排印本之祖本皆一本也。何以有「志」、「記」之誤耶？此或刻工以「志」、「記」音近，冒然付雕，校讎者又以「志」、「記」於字義本固可通，故亦未加訂正，此為極可能之成因二。

後世選家加以改定者。若姚姬傳編纂古文，以〈項脊軒志〉不屬典志，又非碑誌，如以此文編入「雜記」，則又題名為「志」，格格不入，乃遽然改志為記，使之名正言順編入雜記類。而後曾文正公於古文大體亦極服膺姚氏。姚永樸氏桐城後裔，自當繩其祖武。錢基博氏於文章最重義法，於是均遵姚氏（鼐）體例，此為甚可能之成因三。

歸氏後裔改定者。綜前所引世界排印本歸氏諸孫跋語中，歸景灝、景伊跋乾隆本云：「補其缺失……為改正云。」歸彭福跋光緒本云：「詳加校正，重為刊刻。」則彭福於桐城、湘鄉為後學，世界書局排印本以光緒本為祖本，而光緒本又晚出《姚選》、《曾鈔》之後，彭福驚本篇題目於文體未合，乃依古文家之見加以改定，此又甚為可能之成因四。

（六）結語

「項脊軒記」文題之「志」、「記」問題，欲自版本考其端倪，已非主要課題，本篇所欲討論者，乃在辨明本文文體，而欲辨明文體，當從吳（訥）、徐（師曾）、姚（鼐）、曾（國藩）諸家為正，改「志」從「記」。今特引無錫錢基博先生編例，以作本文之結。

無錫錢基博先生為便利後學，特編著《模範文選》。於「記事門」列舉十法：曰側敘、逆敘、帶敘、歷敘、類敘、對敘、瑣敘、虛敘、語敘、言敘，總計十法，於每法之前，必先序述其事意，表見其異同，然後分別其體裁，演明其法式，並綴之以範文，俾學者觀摩會通，知所取擇焉！而其「瑣敘」一法，即取歸有光〈項脊軒記〉、魏禧〈寄兄弟書〉為範例，而以歸氏之文冠列首篇。

錢氏論「瑣敘法」曰：

> 瑣敘法，蓋猥屑瑣敘之謂。范曄自謂：「體大思精而無事外遠致。」行文務從大處落墨，然亦有所敘不過家常細碎，而饒有事外遠致，令人咀嚼不盡者。……歸有光博覽人情物態，為文專敘家庭瑣屑，以此名家。其尤傳誦人口者，如：〈周玄齋壽序〉、〈先妣事略〉、〈歸府君墓誌銘〉、〈寒花葬志〉、〈項脊軒記〉，無不遙逸橫生，情文兼至。

錢氏評〈項脊軒記〉曰：

> 此文以記項脊軒為主，而人事之變遷，家道之坎壈，皆寓意於軒，作睹物懷人寫法，蓋亦寓抒情於敘事者。姚鼐選《古文辭類纂》，以歸有光直接唐、宋八家，謂其於不要緊之題，說不要緊之話，卻自風流疏淡，是於太史公深有會處，當於此文玩味得之！

觀此，已見〈項脊軒記〉一篇，實為記敘文文體正宗，改「志」從「記」，不亦宜乎？

附錄：項脊軒記　　歸有光

項脊軒，舊南閣子也。室僅方丈，可容一人居。百年老屋，塵泥滲漉，雨澤下注，每移案，顧視無可置者。又北向，不能得日，日過午已昏。余稍為修葺，使不上漏；前闢四窗，垣牆周庭，以當南日；日影反照，室始洞然。又雜植蘭桂竹木於庭，舊時欄楯，亦遂增勝。積書滿架，偃仰嘯歌，冥然兀坐，萬籟有聲。而庭階寂寂，小鳥時來啄食，人至不去。三五之夜，明月半牆，桂影斑駁，風移影動，珊珊可愛。

然予居於此，多可喜，亦多可悲。先是庭中通南北為一，迨諸父異爨，內外多置小門牆，往往而是。東犬西吠，客踰庖而宴，雞棲於廳。庭中始為籬，已為牆，凡再變矣。家有老嫗，嘗居於此。嫗，先大母婢也，乳二世，先妣撫之甚厚。室西連於中閨，先妣嘗一至。嫗每謂予曰：「某所而母立於茲。」嫗又曰：「汝姊在吾懷，呱呱而泣；娘以指扣門扉曰：『兒寒乎？欲食乎？』吾從板外相為應答。」語未畢，余泣，嫗亦泣。余自束髮，讀書軒中，一日，大母過余曰：「吾兒，久不見若影，何竟日默默在此，大類女郎也？」比去，以手闔門，自語曰：「吾家讀書久不效，兒之成，則可待乎！」頃之，持一象笏至，曰：「此吾祖太常公宣德間持此以朝，他日汝當用之。」瞻顧遺跡，如在昨日，令人長號不自禁。

軒東，故嘗為廚，人往，從軒前過。余扃牖而居，久之，能以足音辨人。軒凡四遭火，得不焚，殆有神護者。

項脊生曰：「蜀清守丹穴，利甲天下，其後秦皇帝築女懷清臺。劉玄德與曹操爭天下，諸葛孔明起隴中。方二人之昧昧於一隅也，世何足以知之？余區區處敗屋中，方揚眉瞬目，謂有奇景；人知之者，其謂與坎井之蛙何異？」

余既為此志，後五年，吾妻來歸；時至軒中，從余問古事，或憑几學書。吾妻歸寧，述諸小妹語曰：「聞姊家有閣子，且何謂閣子也？」其後六年，吾妻死，室壞不修。其後二年，余久臥病無聊，乃使人復葺南閣子，其制稍異於前。然自後余多在外，不常居。

庭有枇杷樹，吾妻死之年所手植也，今已亭亭如蓋矣。

——《教學研究專題報告》第 8 輯。

歲暮婚俗趣談

以前農業社會，春耕、夏耘、秋收、冬藏，四季中以年尾最閒，凡適婚男女，皆於此時籌辦婚嫁，藉增新年喜氣，因而有所謂「有錢無錢，娶個老婆過年」之說。而今工商社會，雖四季皆忙，但相沿成俗，年尾結婚，仍較其他季節為多，只是婚禮簡化，不如從前隆重繁瑣矣！

茲以春節屆臨，正是結婚旺季，本刊特約臺北市立師範專科學校教授駱建人先生惠撰〈歲暮婚俗趣談〉以應景。〈歲暮婚俗趣談〉，作者文筆典雅生動，讀來趣味盎然，對青年讀者可藉以瞭解過去婚俗，而對年長讀者更可藉以發思古之幽情。

駱教授係安徽無為人，本文所撰婚俗，不僅當年在其故鄉流行，或亦為中原各地通行之婚俗也。 ——編者按語

一、訂婚

故鄉稱訂婚為「定親事」或「換庚帖子」，謂女方為「找婆家」，謂男方為「找丈母娘」。訂婚之前，必須請村里學館先生配八字，或請算命先生（盲者，由一扶手子小童牽引，專在鄉間為人算命，間亦操二胡為人說書）代配。八字不合，則一切免議，婚事自告吹矣！所謂「配八字」者，即男女雙方交換姓名、生年、月、日、時，亦有古禮「問名」

之義。年、月、日、時，四者各以干支記載，各占二字，適為八字，雙方八字相合，則正式交換庚帖（亦稱「八字帖」），上書「乾造於×年×月×日×時健生」及「坤造於×年×月×日×時順生」字樣，恭請學館塾師先生以大紅灑金宣紙製帖楷書寫就一式二份，交男女雙方家長各執一份妥存，舊無訂婚證書，此即訂婚證書也。庚帖兩旁書寫「兩姓合婚、五世其昌」聯語，以示吉祥祝福之意。訂婚儀式較隆重者，由男方在自宅備酒筵數桌，宴請至親好友，但不收餽贈，其上賓為媒公（媒婆）、塾師先生及雙方家族親長。亦有不宴客者，僅雙方交換庚帖而已，人亦不以為罪者，蓋大婚時始隆重宴享，無臺俗訂婚必須備有大量喜餅、禮餅之困擾也。惟媒人則備受優待，鄉俗有「媒人有七十二餐半」之說，因一旦「親人過了房」，則「媒人」將有「撂過牆」之冷落下場也。第余向未見媒人曾至婚家叨擾如是之多，蓋亦傳說而已，然亦可見舊時婚事媒人於婚嫁兩方之權威性也。

二、迎親

故鄉盛行早婚，男子十八、女子十六，即可論嫁娶矣！故鄉親年甫四十而為人祖父母者，比比皆是。婚禮於選擇吉日後，率於黃昏舉行，此亦符合古昏禮義。

女方路遙者中午即發轎，轎身圍以錦繡幨帷，金碧輝煌，五彩流蘇，帷下四垂金銀彩穗，迎風飄拂，即俗所謂「花轎」是也。通常為四人扛擡，或謂有八人或多至十六人扛擡者，余離家鄉較早，尚未之見。此轎多自世族大家借來者，平時則停放於各姓祠堂內，轎身素樸，一旦啟用，則臨時裝潢，花轎出發，前有二人共擡禮盒，上繫「雁鵝」一對——雁鵝者，即背為灰褐色之鵝也，不可用白鵝，此當取《儀禮・士昏禮》納吉用鴈之義。轎後則扛擡聘禮、聘金禮盒等物，亦取《儀禮》「納徵」之義，後為媒妁親友多人隨行。男方聘禮，率以現金為主，女方陪嫁之粧奩則以實物為主。余親見一盛大之陪嫁行列，前後綿亙里許，絡繹不絕，自臥床、被褥、鏡檯、櫥櫃、箱籠、桌几、廚具，以至馬桶、痰盂，無不具備，誠壯觀也。旁有人謂余曰：此尚不足觀也，昔李××嫁女，嫁粧連接數里，連棺木亦具備齊全也。

新娘於婚禮前日「開臉」，由鄰舍婦人以綿線絞去臉上汗毛，是謂開臉，髮型亦由辮而髻，其身份亦即由少女一變而為少婦矣！新娘於嫁前一日即須節飲節食，最多以「香蛋（即茶葉蛋）」一二枚裹腹，因新娘自登轎後至鬧房前均不可如廁也。新娘登牆前須大聲哀哭，示難捨父母，故稱為「哭嫁」。新娘是時盛粧，隆重者尚著鳳冠霞帔（故鄉婚禮鮮見新娘著白色禮服，晚近縣城始稍流行）。余幼時所見者有若平劇名伶程艷秋於《宇宙鋒》一劇中所飾趙女之劇照然。冠前沿綴以紅色綢巾，密遮新娘面孔，由其胞兄或胞弟背負登轎，新娘自登轎後，即足不履地矣。花轎啟程後，沿途凡遇街鎮村落，均由一至二人專司放一小串鞭炮，爆竹本身亦有驅邪意，轎門頂端正中高懸古銅古鏡一枚，新娘胸前掛一古銅「懷鏡」，「懷鏡」較「掛鏡」略小，均用以驅邪避惡也。余家舊曾有此古鏡一方，然時時為人借用，為余幼時賺得不少喜糕、喜菓子也。

花轎例須至黃昏至男家門首，及門而停，此亦古婚禮黃昏迎娶之義（古詩〈孔雀東南飛〉男家門首有搭「青廬」之說，其本事乃發生在含山，離吾鄉不遠，今則未聞此俗矣）。轎門前舖長幅紅色地毯，普通亦以紅布代用，毯上逐步置整條卍字糕一條，由「攙新奶奶」扶持新娘逐步踩糕（取步步高升之意），由正門進入大廳，旁有人以大笆斗滿裝歡頭（或稱歡喜團，以糯米蒸熟曬乾，再炒成「炒米」，加糖粘成團者，亦取歡天喜地、團圓之意），傾灑於紅氈之上，群兒蜂踴爭食，一時熱鬧非凡。迨新娘進入大廳，面北而立，亦即準備「拜堂」矣！「攙新奶奶」者，即男方就鄰里中敦請福壽雙全（即夫妻子女俱全）之中年主婦擔任之，與今之女儐相例由未婚少女擔任者不同。憶余幼時，先母時時為人禮請擔任此職，惜余本身肖虎，俗忌沖剋，故不能隨侍母側，多獲喜棗喜糕也。迨余十四歲，先父見背，母氏即未再榮膺此項盛事，蓋已非「全福」之人矣！思之堪悲！

三、拜堂

拜堂開始，例男立於左，女立於右，男衣長袍馬褂，無人扶持，新娘則由攙新奶奶扶持與新郎先拜天地，次拜祖先，再拜翁姑，翁姑端坐於上受拜，然後新郎與新娘互相交拜，則此婚姻關係正式成立，即故鄉稱人「結過婚了」為「拜過堂了」之謂也。惟此婚禮過程，並不若一般戲劇中所謂「一拜天地、二拜高堂、夫妻交拜、送入洞房」那樣簡單。一般婚禮，除拜天地父母之外，尚須拜謝所有蒞臨參加婚禮之親長，受禮之親長通常備紅包一枚，置香案上，以賞賜新人，亦有惡作劇之親長，通常「一隻羊」（洋，紅色內銀洋一枚之謂）之後，又「一隻羊」，一人受新人跪拜十餘次之多。新人受贊禮（司儀）呼唱，由攙新奶奶扶持，盈盈下跪，汗亦盈盈下，以連日節食，加又緊張過度，一兩百個頭磕下來，間亦有當場暈蹶者。新郎雖少年丁壯，身手較便捷，然如此擺佈，至最後，亦已搖搖欲墜矣！此時觀禮賓客，視而大樂，亦是滿堂喜氣芬芳，是蓋禮成後，男女即為家庭及社會成員，亦將準備為人父母，故意以此繁重禮儀，以磨練其少年血氣，動其心而忍其性，使其知「小登科」之樂得之亦不易也。曩余對「新人三天無大小」語意，殊不了了，甚且厭惡此舉，而對新人生憐憫之心，嗣後方悟知先人以禮垂教，亦有其微意在焉！

另尚有名門大姓，親長較多者，則此拜見親長之節日，往往移於次晨舉行，如此則新人之磨難為更大矣，因親族繁多，非「折騰」至半日，猶不可止也。

四、鬧房

新人於當晚交拜之後，即被送入洞房，而大廳內外之喜宴亦開始矣。新房特備喜筵一桌，供新人合巹（俗謂「飲交杯酒」）之用，通常新人酒僅沾唇，菜亦不敢下嚥，蓋外間席散之後，賓客即開始「鬧洞房」也。

所謂「鬧洞房」者，即酒席終了，一般客人要已星散，而鄰里少年則開始「鬧洞房」矣！間亦有年長之親友參加者，即前所謂「三天無大小」也！鬧房開始，首先由一人為主導「說好」，亦即即景說五言韻語（間亦六、七言不等，非誦非詠，故曰「說」），一人或眾聲應聲答：「好！」如一人謂：「瞧瞧新娘頭哇！」則群聲隨答曰：「好！」賡續曰：「頭上搽了桂花油哇！」群聲亦隨答曰：「好！」諸如此類，要之皆隨機觸發，見風採柳之口彩也，雖不避俚語俗言，要亦須與情境相合，且能謔而不虐，樂而不淫，而善歌善禱，稱頌吉祥，方是上選。鬧房者由此「說好人」率先，群少簇擁於後，而鄰里少婦幼女亦莫不趨來圍觀，冀一睹新娘子之容顏，一賞說好人之口才也。鬧房群眾首自大門而入，歷重門，均須有口彩報門而入，徐徐而行，從容而說，至洞房門外，則女眷自內將房門深扃，須說好人說得圓滿，方始打開房門，群眾隨說好人魚貫入房，鬧房則正式開始矣。鬧房主要節目在看新娘，此時新娘猶是盛妝而臉帶「蓋頭」，無法見到廬山面目，唯「說好人」能舌燦蓮花，先自新娘頭部髮、鬢、髻、眉、眼、耳、鼻、口、腮、下巴說起，則「攙新奶奶」自然將新娘「鳳冠」、「蓋頭」取下，將新娘粉臉展示於大眾之前，然後說好人漸次說到新娘肩、臂、手、指尖、背、腰、腿、膝、足、履，要皆四言八句，均能形容盡致。「攙新奶奶」則須應聲將新娘在喜床前踏板上轉來轉去，若今之模特兒於伸展臺前作展示狀，不過一為自動，一為被動，其心理、神態，自不可同日而語矣！有些膽小新娘，則粉頸低垂，含羞瞑目，滿臉蒼白，汗涔涔下矣！看完新娘以後，通常亦將新郎「押」來與新娘「放對」，恣情戲謔，如強迫新郎與新娘擁抱、親嘴（接吻也）之類的親昵、平時被視為不雅的動作，大家一笑為快，但一般機警的新郎，於合巹酒後，早已逸去較遠親友家躲藏，余稍長後尚未見有此「呆頭鵝」留在新房中受人擺佈也。

鬧房之際，趁大人在看新娘之時，村里小兒則成群混入，翻箱倒櫃，何為也？找喜菓子也。大凡新娘陪嫁妝奩，凡箱籠桌屜、子孫櫃子、衣櫥，甚至馬桶之中（無妨，新人尚未啟用也），均廣置喜棗、喜糕（家鄉老卍字糕、玉帶糕、雪片糕製作精美，真是品質高超，舉世無二）、白菓、核桃、花生等乾果，並廣置柏枝、桂枝，取「早（棗）生貴子」、「步步高（糕）升」、「松柏長青」、「百（柏）年好合（核桃）」之意。總之，處處呈現一片吉祥，予人以皆大歡喜之感。余因肖虎，例不得進入「掠取」，只能拜託一些總角好友，自他們手中分得一些「二手貨」，好在母氏任「攙新奶奶」時，回家必滿攜喜菓子、喜糕，亦可飽我饞吻也。

鬧房通常鬧至午夜，一般人始告興盡而散。此時洞房一片寧靜，惟桌櫃上一對龍鳳喜燭高燒（此燭須竟夜燃至天明，自然燃完為止，不可中途吹熄，一般最忌中途熄滅，鄉俗謂預兆夫妻不能白首也。），男方此際著人將「逃亡」之新郎找回，此時洞房方是小兩口之天下矣！然往往新人已被鬧得筋疲力竭，睏極欲眠，又因陌生不好意思，兩人竟夜竟多有未交一言者，各自矇矓倒在床上，不知東方之既白矣！

五、餘韻

吾鄉風俗，除農曆新年家家戶戶例須張貼春聯外，平時若家有結婚喜事，亦須張貼喜聯。喜聯常見者如：「迨其吉兮穀我女友，式相好矣宜爾室家。」又：「禮隆奠雁，詩賦〈關雎〉。」又：「《易》曰乾坤定矣，《詩》云鐘鼓樂之。」均大氣磅礴，道盡男女婚姻莊嚴定分，而又守禮盡情之事。男女關係，是那樣地有來歷，又是那樣地理直氣壯，洞房亦貼喜聯，所有陳設，煥然一新，所謂「新房」者也，家具則均多為女方陪嫁而來者。

大婚之次晨，新婦凌晨即起，拜見公婆，亦唐人所謂「待曉堂前拜舅姑」者也。三日屆滿，新婦須偕新郎「回門」，亦有彌月而回門者。回門新夫婦須攜四色禮品，拜見女方父母親長，女方亦盛宴款待新婿。一般而言，新婿此餐最是不好消受，蓋故鄉無論村落城鎮，要皆同姓連屋，比鄰族居，如「魯家（音ㄍㄜˋ）享堂」、「項家（ㄍㄜˋ）新屋」，則大部為魯姓、項姓族居也。一旦有新婿偕女回門，那可是轟傳十里，本家少壯男女，一定簇擁來觀，指指點點。新娘難免靦腆，而用餐之時，丈母娘例饗新婿雞腿，新婿如魯莽匆忙一口咬下，則滿口牙齒縫中必嵌滿絲線，引起滿堂鬨笑，使得新娘狼狽不堪，「話柄（音ㄅㄚˋ）子」亦傳遍遐邇，甚至新郎已作祖父時，人言猶自不絕也！緣雞腿上席之前，舅老爺之妻、姨姐，或是小姨妹等一般少年女眷，有意看新姑爺笑話，早已惡作劇地偷下手腳矣！例如在飯碗碗底埋下大量胡椒粉，新婿一舉箸用餐，剛一撥到碗中米飯時，則碗底胡椒粉急劇上沖，新郎鼻酸難忍，勢必連連噴嚏不已，其窘狀可知。諸女將或輪值立於新婿背後，連連為新婿加飯，趁新婿不經意中，將滿碗白飯強合入新婿所用之飯碗中，是謂「央飯」，新婿為顧及禮貌，雖然腹已飽脹，亦不得不苦撐下去，此時已滿頭大汗，窘態百出，逗得女方一干女眷，鬨笑不已，因增添喜氣，風俗所許，女方親長，亦不云禁也。丈母娘雖疼女婿，亦只能含笑偽作呵責癡婦憨女而已，不甚認真阻止也。回門之後，婚禮已大抵完成，新郎新婦，自此可過正常生活矣！然數年之間，村里仍呼新婦為「新娘子」，待新婦生育子女之後，方改口稱「小某他媽」（通常稱嬰兒乳名）。故里婚俗，余少年所見所聞，大體如是，惟余自幼辭鄉，所記或多舛誤，祈我鄉親鄉長暨教界先進，多所匡正是幸。

——《現代青年》第 20 期，頁 65-69。

邁向屬於中國人的新世紀

——兼論以三民主義統一中國的文藝路線——

> 那是最好的時代，也是最壞的時代；那是智慧的時代，也是愚蠢的時代；那是信仰的時代，也是懷疑的時代；那是光明的時季，也是黑暗的時季；那是有希望的春天，也是絕望的冬天；我們的前途有著一切，我們的前途什麼也沒有；我們在一直走向天堂，我們在一直走向地獄……

我一開始就引用英國作家狄更斯（Charles Dickens）所著《雙城記》裏的這幾句話，因它們已舉括了我們這個時代的景象，同時，也說盡了我們這一代地人們心頭的普遍地矛盾與苦悶。我們地國家，被截然地分成了兩個世界，一大部份地土地上的人們被淪入血腥的統治，他們在受著奴役、迫害、屠殺，過著水深火熱的日子；一小部份地人們當年隨著英明偉大的　蔣公來到這常綠的寶島，憑著智慧與勇氣，豎起了正義的旗幟，保障了這一塊自由乾淨的土地。一直到今天，舉國上下仍在　蔣總統經國先生的領導下繼續嚴肅地作著復國救民的奮鬥，這現象正好一面代表了黑暗與絕望，一面代表了光明與希望！因而，我們不幸的遭遇曾經震動過整個的世界，我們不屈不撓的精神也曾撼動過整個的世界！

同樣地，整個地球上的希望與光明，騷亂與不安，也曾直接或間接地影響了我們，它時時帶給我們以喜悅和憂傷！

因而，正義地力量和邪惡地力量互消，互長！

鐵幕裏受壓迫的人們在作著垂死的掙扎，流出了反抗的熱血！

自由的土地上卻有不少的青年們在作著黎明前的酣睡，把自己的生命消失在杯光舞影裏，把劍尖插在自己的胸膛，表演著可悲的自殺！

他們忽視了存在主義（Ekistentiaism）是在透過現實、突破障礙、走向理想積極的本質，卻把它曲解為「迷失於現實」，卻又「反抗於傳統」的荒謬的意識，於是剝光傳統文明的裳冕，以為「歷史無足觀」、「往事無足訓」、「前人不可師」、「他人不可信」。藩籬盡拆，乃造成人與人之間錯失的混亂，錯失的疏離感，懷疑父母之愛！懷疑師長之愛！懷疑前人可貴的思見，乃至懷疑一切存在的價值，因而造成「苦悶」、「迷失」、「虛脫」、「嘔吐」等狂亂的心態，乃至演變成「反抗一切」的行為，污染社會的純潔，挫辱文明的成長，甚至有極少數的竟在效法外人扮演著人所側目的嘻痞（Hippy）！

他們在病態底早熟與早衰！

因而，他們結幫結夥，遨遊滋事，以發洩積壓的「苦悶」！以消耗剩餘的精力！

是什麼使得他們如此呢?!

是思想的貧血？
精神的苦悶？
道德的淪亡？
物慾的擴張？
情感的痲木？
是多變幻的時代貶損了生命的價值？
是時代的問題造成了「青年的問題」？

愛國的五四運動，它不僅帶給中國當時文學上的革命，同時也帶來了當時中國思想界的一個極大的蛻變。在文學方面，先驅們自有其不可磨滅的功績，從那時起，作家們從八股的文章體裁中解脫開來，開闢了一條新型的文藝道路——白話的文學。直到今天，白話文學已經風行，但文言文亦仍為人們所愛好，這當然不完全是靠「革命」或「衛道」兩者以尖銳立場論爭的結果，這完全是它們都能受得住時代的考驗，它們都有其客觀存在的必要與價值。

至於思想方面，先驅們喊出了德（Democracy）、賽（Science）二先生。在當時，以科學的口號對泥古的學究，以民主的口號對封建的官僚與割據的軍閥，自是有其必要，最根本的還是在使我們這個老大的民族能迎頭趕上歐美，而提昇成為一個開發進步的國家，這兩個口號當然是切中時弊，也是思想界領導全民應走的大道。

但五四運動的領導者們可能是被舊勢力攻擊得太急迫了罷！因此在兩陣對壘時，他們就不能顧及到敵陣裡還有玉器和珍藏，一味的將填得過量的藥包的炮火猛轟過去了，因此他們要「打倒孔老二」！因此他們要「燒掉線裝書」！這一舉動，在當時，可能使一般青年沈醉於狂熱的希望裏，但經過了一些日子，相信有不少人就在開始皺眉茫然了，為什麼？因為我們幾千年來的生活，都是涵泳在儒家思想的領域裏啊！我們將這些吃慣了的精神食糧委棄於地上後，我們在這塊古老的土地上就再也找不到新的代用食品了。新的種籽還沒有萌芽，而結了穗的青苗已被芟除，舶來的食糧又不適胃口。設使當時我們能有一個大膽率真的惠特曼（Walt Whitman）[1]為我們謳歌自由，以及對土地人民的熱愛，為我們預卜一個新的希望，我們後來的文藝發展也許不至那樣的貧血惡化了啊！

「民主」與「科學」，從本質上說，民主政治可以促成一個健全的組織與進步的社會，而科學除了有助於人們求知的方法及滿足人們的求知慾之外，另一方面也促進了人類物質文明社會制度的進步。但狹義的說，它們也只能影響社會群體的生活方式，並不一定能影響或充實個人精神生活的內涵。相反地，歐美一些高度物質文明的國家卻使人們喪失了自己，人類的精神生活乃是哲學的、宗教的和倫理的問題，民主與科學對人類的精神內涵並未能增進些什麼！

美國人有其積極進步的民主政治與高度的科技文明，但他們為什麼還要讀《聖經》？作祈禱？美國近期作家的作品大都反映出時代給予人們的空虛與苦悶。他們也苦悶？為什

1 惠特曼（1819-1892）：美國詩人。他是近代美國文學底一大柱石。他打破一切舊的韻律的拘束，使用自由的詩句，來歌詠民主，歌詠自我，詩中充滿著無限精力與宏偉的理想。

麼？他們忙賺錢、忙權勢、忙享受、忙歡樂，他們一擱下來也會空虛，也有苦悶。

因此，孔老二是不能打倒的，科學與民主也是值得提倡的，他們相行並不相悖。

我們現在的任務是應該如何把儒家傳統的道德概念，注以純淨的新鮮的血液，使之有活潑的生命，用之影響青年，教育青年，那就得要展開三民主義的新文藝運動！

因為新文藝對青年的影響力實較廟堂之上、講堂之上大上千百倍，而惜乎我們過去沒有去注意。俄共以深諳青年愛美求真的心理，他們就以年輕英俊的（打著「革命」、「進步」的旗號）《浮士德》（Faust Goethe 著）[2]的姿態出現，透過了文藝的形式，以進行思想的滲透與毒化，茅盾、丁玲、鄭振鐸，這一些較早紅色的作家，莫不以尖銳誇張的筆尖去擴大社會的黑暗面，激起青年對現實不滿的情緒，瓦解原始社會一切傳統與現狀的向心力，進行著陰險的「文藝進軍」！他們利用青年偶像崇拜的弱點，就捧魯迅為「東方的高爾基」，《阿 Q 正傳》便成了「創作的奇蹟」！葉紹鈞的《倪煥之》則被譽為「扛鼎之作」！因此他們的嘻笑怒罵都成為青年們奉行的真理！

他們又捧著曹禺為「中國的莎士比亞」！《原野》當然就比《哈姆雷特》（Hamlet）為更有力量的仇殺故事了。因而，他們都自詡為智慧王國之王，用他們罪惡的刀，毫無顧忌地去破壞原社會的道德標準和倫理觀念，他們帶給青年們

---

2 《浮士德》：歌德的詩劇，德國浪漫主義的作品。「年輕的浮士德」意喻充滿熱情、活潑。

的是什麼？那只是教唆他們叛逆、殘忍、野蠻、勢利、好鬥、多變，以及一種對現實不滿的變動的瘋狂，他們何止在青年的心理上填進了千萬噸的黃色的炸藥？以至一些無辜的青年，在他們的愚弄下，不經意的作了《唐吉訶德傳》（Don Quixote Cervants 著）自以為是在行俠仗義，實則是在間接或直接地做著破壞國家元氣的工作，懵然而不自覺！

許多人提倡「戰鬥文藝」，但竟敵不過黃色的禍流——黃色的書刊、黃色的電影、電視，黃色的音樂，像祈禳不去的幽靈，誨盜誨淫，不堪入目。較高級一點的，不是「煙圈裡的故事」，就是「咖啡座上的愛情」、「老少的畸戀」、「戀父戀母的情結」，它給青年帶來了什麼？病態、頹廢，或是思想的貧血！無病的呻吟！

而今即是在美國，以描述恬靜的人性之美的、靈性的、細緻的帶給人們以生活情趣的奧爾訶德（Louisa mag Alcott，《小婦人》、《好妻子》、《小男兒》的作者）型的作家已不再見了。過去最享盛名的海明威（Hemingway）亦因參加一次歐戰而感到人世的幻滅，他是屬於「失去的一代」（Lost generation）的作家的代表，他的《日出》（*The Sun Also Rises*）、《戰地春夢》（*A Farewell to Arms*）、《戰地鐘聲》（*For Whom the Bell Tolls*）無不是敘述戰後男女兩性的苦悶及戰爭給人生的幻滅。原作、譯著、影片，臺灣都有，諸如此類的作品，對青年不僅不能作開闊、振作的鼓舞，反足以使之陷入沈悶、痛苦的迷惘中！《老人與海》（*The old man and the sea*）寫得偉大、細膩傳神，但最後老人所得的卻僅是一尾魚骨，雖有「我永不會被打敗」的豪語，但又怎能掩飾得住那份落寞與空虛，最後，連他自己亦受不住「失落」精神的壓迫，黯然自殺。名家名作如此，遑論其它！

我們實在已面臨建設人性的、創造的、生活的、智慧的戰鬥的文藝，而要去除黃色的、暴力的、消極的、現世的和低級的灰色文藝的時候了啊！

因我們是生存在七〇年代的自由中國的國度裏，自由中國青年的意識形態應該是樂觀的、健康的、爽朗的、積極的而也向上的，因大家已吸取了三十多年的三民主義樂土之上的自由的、民主的而且富足的營養！

因為三民主義在自由基地上的實施，它不只是促進了全面經濟的繁榮，全面政治的民主，整個社會的朝氣，更因它是物質與精神並重，經濟建設與文化建設雙軌齊驅，於是自然地充實了我們每個中國人個人精神的內涵！每個人的希望、每個人的企圖心！

而陷落在中國大陸共黨箝制下的青年，他們經過了數十年的赤色的狂飆，不只是喪失了家庭，喪失了學業，更進而失去了自尊，失去了自由，失去了希望。一窮二白，嚴重失業、慘痛流亡。自魏京生、傅月華的「抗議文學」，到白樺的《苦戀》、楊絳的《五七幹校六記》，以及孫靜軒的〈一個幽靈在中國大地上遊蕩〉長詩之類的「傷痕文學」，他們無一不是發出熱愛祖國的怒吼！發出要民主、要自由、要平等、要安定的呼聲！他們已在迫切地、熱烈地舉著雙手迎向三民主義！認同三民主義！因他（她）們所要求的正是民族的、民權的，而更是民生的三民主義喲！

大陸上的同胞喊出了「經濟學臺灣」、「政治學臺北」！

為的是什麼？為的就是要迎回曾使臺灣成為「土地改革的楷模」、「創造經濟的奇蹟」、「自由民主的樂土」、「安和樂利的社會」的三民主義！

曾任香港總督的英人葛量洪爵士曾經說過一句預言：「二十一世紀將是中國人的世紀。」英哲羅素（Bertrand Russell）[3]及史學大師湯恩比也曾作過類似的預言。以現狀言，二十世紀已近尾聲，二十一世紀瞬間將至，十億中國人揚眉吐氣世紀的來臨，它自然不是屬於荒謬絕倫的使大陸中國陷於一片黑暗的共產主義！自然不是屬於專利獨裁使大陸同胞陷於物質匱乏、精神虛脫的共產主義及其制度，而是應該屬於能帶給我們所有中國人——不！應該是全人類——富強康樂、無限光明、無限希望的三民主義！

願全中國的青年，大家高舉雙臂、敞開胸懷、迎接三民主義！願全中國的青年，抬起頭來，邁開大步，昂然地踏入三民主義的世紀！

——《北市師專青年》第 45 期（1981 年 12 月），頁 10-15。

3 羅素（1872-）：英國哲學家，社會改造思想者，他的哲學是由數量的基礎而得的新實在論，他也稱他自己的哲學為論理的分子論。著有《政治理想》、《教育論》等。

科學教育者應有的文學素養

一、前言

自晚清鴉片戰爭以後，林則徐、曾國藩、左宗棠、張之洞、李鴻章諸大臣以直接或間接在戰場上與列強交手後，震懾於西人「船堅炮利、壘固兵強」之威勢，乃倡「師夷之法以制夷」，張之洞且倡「中學為體、西學為用」之說。一時洋務運動，甚囂塵上。這在當時，姑不論他們所見到的層面如何？但卻喧騰一時。先後設立了水師學堂、兵器製造局、同文館……等諸多措施，又引進所謂的「格至之學」（即物理、化學）。多年經營，僅能師其皮毛，耗費鉅資。購來西人陳舊船艦、兵器。一旦中、日戰起，全軍皆沒，仍舊割地賠款，喪權辱國。人民依舊是窮、國家依舊是弱。此何以故？蓋前人徒見西人之勢，未諳西學之實所致之惡果也。

迨民國八年五四運動起，由國民外交運動，轉為新文化運動。知識份子當時揭起新文化運動的大纛，引進西方的民主（Democracy）與科學（Science），當時所謂的「德、賽二先生」。那時因為銳意要新，故而就毫不留情地徹底除舊，領導運動的先驅們，他們就毫無顧忌地醜詆「舊道德」，主張徹底的否定「舊文化」。他們要「打倒孔家店」，「焚毀線裝書」。因而一夕之間將我國幾千年賴以維繫民族之內在生命及生活軌範徹底毀滅。「德先生」和「賽先生」一時變成兩尊新興的圖騰（Totem），神聖不可侵犯。知識份子自高年碩學至惨綠少年，莫不開口「科學」、閉口「民主」，以為非如此不足謂時髦，不如此不可謂博學。然而舊的道德徹底摧毀，新的倫理尚未建立。舊穀刈光，新苗未熟。中國千古人文架構，頓成一片廢墟，而中共引進馬、列的假科學（「科學的社會主義」，使當時青年醉心不已），乘虛而入，又值日寇大舉侵略，造成民族空前危機，全民在此威脅之下，乃不得已團結抗日，中共亦賴此得以生存發展。但一旦抗戰勝利，外在有形威脅解除，缺乏道德文化素養的國民，因而把自私、貪婪的面目完全暴露了！弄權、貪瀆、營私、舞弊、狡詐、勢利，醜態盡出，使中共輕而易舉地擴大叛亂，不旋踵間而赤化了整個大陸，究其根源，是否當年的西化運動，只是一場虛幻的夢境？真正的「民主」與「科學」尚未紮根，卻被中共先期盜取其名（如前所謂馬列主義是「科學的共產主義」，毛澤東的專政卻說成是「新民主主義」，誣指三民主義是「舊民主主義」，多少青年為之麻醉。尤以後來的紅衛兵大舉摧毀國本，難怪羅蘭本人慨嘆：「自由為罪惡假名以行之工具也。」），而攫取其果，這都是歷史未遠的教訓，吾人能不引以為戒？當然，科學是構成人類文明（Civilization）的主流，它與民主制度、文學藝術、宗教信仰，是共同建構人類文化（Culture）的基本支柱，我們以往的社運目標與教育取向是否取捨不當？執行偏頗？以致投入科技研究的俊彥之士，一旦置身研究室中，往往為公式、分子、細胞、粒子而廢寢忘食，與世隔絕，微觀有餘，而宏觀不足。形成《孟子》所說的：「明足以察秋毫之末，而不見輿薪。」見其小而不能見其大的現實環境中的陌生客。為人諷刺為一個不具人文素養的「專家」。在他的研究室裏，他可能是某種知識領域裡的權威、專家或上帝，但一出戶門，他就幼稚無知到像一張白紙了。故本人今天的講題，即以此一問題為主要探討的主軸。

二、科學、文學領域的分明

文學的性質：我國《易經・繫辭上傳》曰：「形而上者是謂道，形而下者是謂器。」此一「道」字與希臘亞理斯多德（Aristotle 384-322B. C.）之純粹哲學（Metaphysics）一語有相當之意，應近西方哲學（Philosophy）之意涵。為建立知識總體之學問，其方法來自思考，其領域雖亦重方法，惟其對象則是普遍的、全體的，故自難免抽象。自中國而言，一向對文哲未加嚴格區分。例如：漢封儒者大夫郎為「文學」，而其本職，乃為專門研究五經古籍，而「文以載道」更是中國歷來文人所自期。文學乃是以弘揚哲學生命之內涵而發生，無「道」（哲學）則文學即無生命，故我國傳統文學之精神在此，不惟講詞章、聲韻、訓詁而已，於此可知其命意之所在。

近世西洋文學（Literature）所見亦有二義：廣義而言，指一切思想之表現，而以文字記敘者，如孔子為《易經》作〈乾卦文言〉、〈坤卦文言〉，西哲著書立說，對政、經、社會提出主張，即前所謂之「道」也；狹義而言，則指偏重想像及感情藝術之類的，如詩歌、小說、戲劇之作品，今天所談的當然是兩者兼及的。

科學的性質：自科學的領域而言，亦有二義：廣義而言，凡有組織有系統之知識，皆為科學；狹義而言，則指自然科學（Nature Science）。理論科學，在研究物質本體之特性、能量與彼此間之作用，內容以分析、測定及探索為範疇。而應用科學則在研究物之轉換性、包容性、互斥性與安定性，其研究途徑是一貫的、多元的、理智的、現實的、不可渲染、不可加減，一就是一，二就是二。二氫加氧，即為水，它是要著重數據的，故而在座諸君所受的訓練，就是做實驗、求數據、導公式，只要解題能力強，代入公式反應快，絕對是理工科系的高材生，是系主任和教授們心目中的可造之材！然而，夠了嗎？圓滿了嗎？人生所學的只是限於此境嗎？

三、文學與科學不同的功能

依前所述，本人決無意在此存貶抑科學，或故意有揄揚文學的動機。其實，兩者均是充實人類生命、改善人類生活與促進社會進步與和諧之基本要素，其重要性是不能分其軒輊，缺一不可，只是施行的步驟，有其緩急先後而已！

以兩者的功能言：

科學，無論是理論科學，或應用科學，其目的均在「利用厚生」，是解決人類「物」的需要，進而生產、分配，達到滿足消費欲望的方法與技能，由了解「物」，利用「物」，而達到「天人和諧」的境地。西人主「以科學征服自然」，則是荒謬的、錯誤的，此種與自然分割的行徑，而今已有「溫室效應升高」、「臭氧層破洞」、「環境污染」之大警訊——人類是不可自絕於天，自毀地球的！

文學（含哲學及宗教、藝術）則是追求人類心靈的滿足，以達到天人合一的境地。人類是有生命、有情感、有靈性智慧的生物。故口體之養的物質欲望滿足之後，必須要有心靈上的安頓，所以西人認為人類創造的動力來源有二：一是來自內在的「欲望（Desire）」，它是來自無奈的「需要（Want）」的壓迫，而歸於一種無法壓制而爆發出來的創造欲，因而產生了無比的企圖心與生產力；另一則是來自天堂的上帝（God）的啟示與感應，自《聖經》與教堂中求得心靈的寄託與平靜。這是西洋文化中雙軌式的支架，缺一不可。

故德國詩哲哥德（Johann W. Goethe）作《浮士德》（Faust）一書以婉諷科學家之人生的危機。書的大意是說醉心科學研究的浮士德，終其一生埋首於研究室，直至年登耄耋，形容蒼老，在科學上雖有了成就，但對自己的一生卻完全繳了白卷，缺乏愛情浪漫的滋潤，忽視遺世孤獨的寂寞！故心靈極為單純，情感也極為脆弱，一旦受到魔鬼的誘惑，乃毫無保留地將靈魂典押與魔鬼，以換取青春的光彩，重享虛榮的歡樂，使心靈深墮欲海，一身罪惡，幾乎墮入地獄，萬劫不復，最後奇蹟似地還是上帝寬恕了他，救贖了他的靈魂。這樣的結果，少年時代的我，看了這個故事的結局，非常懷疑上帝處理此事的公正性，上帝如此沒有原則地寬恕了一身罪惡的浮士德，但人間還有千千萬萬個浮士德呢？他們都能像浮士德如此這般的幸運嗎？當然，這只是西方宗教哲學的神權思想，它是缺乏東方儒家和佛教的自覺主宰性的！

故西方的文學家、哲學家，以至科學家，除了少數的無神論者如叔本華（Arthar Schopenhauer 1769-1860）、尼采（Friedrich Nietzsche 1984-1900），懷疑主義者如笛卡兒（Rene Descartes 1596-1650）、休謨（David Hume 1711-1776），實驗主義者如培根（Francis Bacon 1561-1626）、皮耳士（C. S. Peirce）、詹姆士（William James 1942-1910）、杜威（John Deuey 1859-1952）等，大體都不太相信有上帝存在外，絕大部分的西方學者，對終極的人生，還是推向上帝的手中去的。意大利文藝復興（Renaissance）時代的三傑納斐爾（Raffaello）、達文西（Davinci）、米格朗基羅（Michel-angelo），所作不朽的作品──油畫與雕刻，幾乎都是《聖經》故事的詮釋。故教堂中的「聖畫」與「聖詩」，幾乎都是盛名極於一世偉大的音樂家和美術家不朽的作品，因為宗教的神，都是超現實的。所謂上帝，若非先知教士，或信徒，必不得見，但是音樂的美，圖像的美，卻深深地動了一般人的心，為宗教吸引了許多的信眾，使教堂成為大家樂於去禮拜的樂土。我國近代大教育家蔡元培先生看破此點，就乾脆主張「以美育代宗教」了，其實美學亦即廣義的文學，義理、美感存乎一心，但表面上看來，卻又似乎是無神論，這當然是西方人士所不易了解的。

四、文學可提升人類內在生命、淨化人類心靈、可促使科學為服務人群、富裕民生之良科學

十八世紀的英國浪漫詩人華滋華斯（William Wordsworth 1770-1850），他是湖畔派詩人的代表，他讚美農村，謳歌自然，近乎我國晉代陶淵明的風格，而美國早期的草葉詩人惠特曼（Walt Whitman 1819-1892），在他的〈我自己的歌〉中說：

> 我相信一片草葉不少於繁星每日所作的工作，
> 而蟋蟀也是同樣的完美，
> 還有一粒的沙和鷦鷯也是如此，
> 攀牆附壁的黑莓可以點綴天上的客廳！
> 我手上最小的骨節勝過一切的機械！
> 垂頭咀嚼的老母牛勝過一切的銅像！
> 老鼠是一種奇蹟，
> 能教不信宗教的人對於牠也不敢有言！

他是如此的尊重自然，他是如此的謳歌和讚美生命，他更是如此毫不保留地提出反機械，反文明的吶喊！而他雖高唱自由——從心靈到生活，然而他的意識從未忘掉自然的美好與上帝的存在！

國父中山先生於二十八歲時曾上書李鴻章，信中痛陳國是，對科學發展尤提出極精闢之見解與極正確方向。他說：「凡有利於國計民生之發展者，均為良科學；凡製造殺人利

器危害人類者，均為不良之科學！」此為大仁人、大智慧者、大政治家之高瞻遠矚，主要是其人具有高度文化的素養與道德的情操，以其高度悲憫的情懷，故其少年學醫，轉以「醫人不如醫國」！乃不畏險阻，起而領導革命，以期再造國家，登斯民於衽席。那裏像毛澤東輩生平以鬥爭為樂，科技一到他手，就適以濟其惡。他要求人民「可以沒有褲子穿，不可不造原子彈」！科學家生存在這樣獨夫的統治下，也正如當年德國希特勒（Adolf HItler 1880-1945）手下的科學家們一樣的無奈。科技不足以增人類之福，反足以貽人之禍，這是我們從事科學研究者，尤其是即將從事基礎科學教育的朋友們所不可不三思而行的啊！

原為德國猶太籍的數學家、物理學家，因不滿納粹而定居美國的愛因斯坦（Albert Einstein 1879-1956）曾譏評同是猶太籍的德國科學家布勞恩（W. Von Braun）說：「汝發明火箭及噴射機，在科學領域中，固是箇中翹楚；但汝以此幫助納粹殺人，使汝在整個人類發展史上，則是滿手血腥的大屠夫、大獨裁者希特勒的幫凶、劊子手，故汝的成就仍是負面的、可恥的且要詛咒的！」由此，可知一位科學家如果不具有高度的文化素養，則極易淪為政客或野心家的工具而不自知，這是何等危險的悲劇啊！

二次世界大戰的東方的禍端，乃是日本的瘋狂對外侵略，到處屠殺無辜，為亞洲帶來空前的災難。接著偷襲珍珠港，使美國海空軍蒙受無比的損失。後來盟邦為懲治兇頑，向日本廣島、長崎先後投擲了兩顆原子彈，以迫使日本投降，及早結束戰禍。這本來是正當而無可厚非的正義行為，但以兩地無辜人民死傷慘重，使參加美國「曼哈頓計畫」設計原子彈的數名技術人員及兩名駕駛投彈者，均因心理壓力太大，先後竟精神分裂或自殺而死，研究科學及投入科學教育的朋友們，怎可不慎為選擇呢！

五、偏重科技發展對人類未來的遺患

距今四十多年前，故臺大校長傅孟真先生曾對該校工學院的全體同學說：「理工學院的學生，不能只知導公式，作研究，應該兼備人文藝術素養，以文學、哲學、美學、音樂為重，接受全人教育，不能甘心侷限，只作一個滿腦子的公式，螺絲釘的機器人！」傅先生的一席話，在當時可真是當頭棒喝，因為當時的大學科系，完全是理工掛帥，英語為先啊！何以故呢？出國深造容易，出頭指日可待啊！而臺大醫學院則保留一貫優良的傳統，舉凡醫學院的學生，主修專業課程外，課外均能涵泳藝海，文藝欣賞之外，還能創造。至於繪畫、歌唱，各種樂器，如：鋼琴、提琴、長笛……均有一定的水準，均能陶養其成為彬彬儒雅的醫師風範！

以科學而言，英國應為世界之先驅，瓦特（James Watt 1736-1819）發明蒸汽機，引發產業革命，然而英國人民保守，且重視追求生活的品味，不願拋棄固有人性化的傳統，去盲目追求科技的發展，以滿足物慾的放恣，故歐洲多半國家，因受英國的影響，至今仍保存傳統的建築、城市、雕刻與種種的文物制度之美。德國文明本極優越，但因出了一個瘋狂的獨裁者——希特勒，以科技為工具，以人類為芻狗，像旋風一樣地暴起暴落，不旋踵間，其經營的鐵軍化為烏有，剩下了殘垣敗壁給被侵略者和自己的同胞，貽害雖大，卻幸而未久。而今德國於戰後工業復甦，已躍升為世界經濟五強之一，然德人殊能自省並記取教訓，其人民仍刻意保持大戰後的儉樸生活模式，以免因文明而疏懶，忘卻過去未久的歷史的教訓。

美國自歐洲移民美洲獨立之後，自歐洲移植過去的民主思潮而成立了一個協定憲章的聯邦合眾國，更將瓦特發明的蒸汽機移去發展成輪船與火車，開發了交通，也開發了西部大量的石油、鋼鐵以及牛油、奶粉等食品工業。發明電力的富蘭克林（Benjamin Franklin 1706-1790）本身即是一位有高度文化素養的人，但在整個美國都在發展科技趨勢下，在經濟上雖然傲視全球，但這也改變不了歐洲的英國人、法國人和德國人對他們的歧視，認為他們只是「暴發戶」，只是一些只有銅臭沒有文化的傖夫！今天世界性的環境污染、能源危機、地球萎退，始作俑者的美國人能夠辭其咎責嗎？

戰後日本，因為我國不曾索取賠償，加以盟軍以軍事保護，防其赤化。及韓戰、越戰時期所得到的暴利。當然，日本人自己也算爭氣，在科技工商業的成就方面，創造了好多個「世界第一」。但日本著名學者石井勳、宇野精一等就曾慨嘆說：「日本戰後經濟雖然復甦了，但日本的年青的一代卻失去了日本人的心！」日本並不是沒有大智慧的人，但卻無法改變民族精神毀於沈淪物慾的事實。挾著暴利鉅資，至世界各國操縱，壟斷市場，徵歌逐色，處處暴露「醜陋的日本人」的嘴臉，何以故？科技掛帥，工商為先，而文學沒落、文化沈淪是其病因啊！近年日本景氣亦已呈沒落衰退的現象，備嘗泡沫經濟（Bubble Economy）之苦果，此亦浮華不實，取巧經營之必然趨勢也！

而我們臺灣呢？自戰後日人撤走，留下一片因戰爭破壞的廢墟與荒蕪，光復以後，政府與人民胼手胝足，篳路襤褸，自土地改革，至自足經濟，到國際市場，自貧窮，而自足，而富有。國民所得，由年所得不到二百美元，而今已經邁入年所得美金一萬三千餘元，大家生活是富裕了，而心靈卻流於貧瘠、懶惰、自私、褊狹、浮躁，被外人詬為「貪婪之島」！難怪曾經對本省經建有卓著貢獻的孫運璿、李國鼎兩位資政，均先後慨嘆當年只著重於物質建設，而忽略了內在的精神以及道德倫理的建設，而深自疚責追悔不已！看看今天政治的脫序，社會的亂象，自國會的武鬥，黑金的泛濫，土地的炒作，槍械的橫行，選舉的惡質，文宣彼此任意的抹黑、醜化、煽惑、造謠，完全是「羅生門」生態的再版。而貪污、搶劫、綁架、強暴、亂倫、凶殺、醜聞，幾乎無日無之，長此以往，伊於胡底！

六、文學始是充實內心世界，豐富美好人生的甘泉美果，文學本身就是躍動的生命

數學的數字是沒有情感的，但文學中的數字卻呈現出人性中的情與美。

科學使研究者把自己的心（注意力）在某一階段或終身

投注在某一物系或某一點上；一般宗教，則亦使其信徒注於他所信奉的神祇或上帝的光環裡，如此終身外求，反而使自我的生命被禁錮、被區隔而模糊了！我國儒家則強調「天人合一」，即「人與境合」、「人與天合」、「人與上帝合」。然後將六合萬有內化為心，使個人精神生命無限超越，愛天地萬物為一體，使生命自覺，不假外求，它不只可使自己自達觀中知命，正命而立命，更能了脫生死，不憂不懼（孔子語），殀壽不貳（孟子語），達到「無入而不自得」的境地。故中國知識份子對生命與自然（天）的體認是和諧的、藝術的、活潑的、情趣的，發為詩文，自然有一種情境、韻律、生動的超乎象外之美，它只是尊重自然、讚美自然、享受自然和投入自然；絕不同於西方科技之目的不只在研究自然，還要征服自然，使自然與人類區隔、疏離，使人類與自然對立，在自然界中孤立起來！

前面說過，數學上的數字，只是科學的符號而已，而文學中的數字，卻有生命的律動。兒時從塾師「描紅」寫字，以描帖詞句極美，至今記憶猶新。今試舉之：

其一：

上大人，孔夫子。

化三千，七十士。

佳作人，可知禮也。

上六句，共十九字，乃讚美孔子事功、霑溉弟子三千人，卓著成就者七十（二）人，言簡意賅，使數字非常人性化。

其二：

一去二三里，煙村四五家。

樓臺六七座，八九十枝花。

上為五言絕句詩，平仄聲韻自然，是人人熟悉而親切的鄉村即景，也是初學兒童最易接受的情境，最難得的是它對初學兒童進行了算術教育與美術教育，全詩二十個字，生動地教給兒童的位數，且又告訴了兒童從一到十序數的概念，活潑自然，比死記死背是否好得多？自美育層次來說，寫景亦由近而遠，宏觀而又能微觀。小詩帶著小讀者自家中或任何住處出發，發現幾家農村的煙囪，正在炊煙煮飯，呈現了活潑的人氣，而嫋嫋炊煙於茅屋之上，晴空之中，又是何等詩意？再向前走，還看到七八座軒敞的樓臺亭閣，池塘園囿亦在語意之中，沿途還看到一些疏疏落落的小花，予兒童以淡雅情懷之教，此時人在畫圖之中，心與境合，自然產生一種渾然忘我的美感！

其三：

王子去求仙，丹成入九天。

洞中方七日，世上幾千年。

上亦為五言絕句詩，為周靈王王子晉得道故事，亦能引人遐思，發思古之幽情。

又：清代女詩人何佩玉之〈一字詩〉：

一花一柳一漁磯，

一抹斜陽一鳥飛。

一山一水中一寺，

一林黃葉一僧歸。

上為七言絕句，全詩二十八字中有十個一字，而寫景生動，絕無斧鑿痕，真是情趣天生。

我國文學，以數字入詩入文，舉不勝舉。今再以唐、宋詩人斷句，摘錄一、二。

韓渥：〈惜春〉

一夜雨聲三月盡，

萬般人事五更頭。

翁靈舒：〈贈滕處士〉

清風三畝宅，

白日一床書。

方玄英（幹）：〈貽路明府〉

吟成五個字，

用破一生心。

程顥：〈和邵堯夫〉

陋巷一生顏氏樂，

清風千古伯夷貧。

王維：〈送李使君〉

山中一夜雨，

樹梢百重泉。

孟浩然：〈宿桐廬〉

風鳴兩岸葉，

月照一孤舟。

劉長卿：〈餞別王十一南遊〉

長江一帆遠，

落日五湖春。

韋應物：〈淮上喜會涼州故人〉

浮雲一別後，

流水十年間。

李白：〈金陵登鳳凰臺〉

三山半落青天外，

二水中分白鷺洲。

杜甫：〈閣夜〉

五更鼓角聲悲壯，

三峽星河影動搖。

劉禹錫：〈西塞山懷古〉

千尋鐵鎖沈江底，

一片降幡出石頭。

前所舉句，或感事傷時，或襟懷恬淡，或吟詠功深，或孤芳自賞，或胸次浩渺，或觸景淒涼，或作天際之冥想，或感人世之無常，要皆對仗工穩，妙造自然。篇幅所限，僅舉此數則，諸君嘗鼎一臠，亦可知文學之美之饆饆有味矣。諸君於文學領域，國學至少要讀五經、四史（《史記》、《漢書》、《後漢書》、《三國志》。），子書如《莊子》、《老子》、《列子》、《荀子》(《論》、《孟》可再精讀)。唐詩、宋詞、元曲，均有名家選集，可以選讀。純文學之小說名著有：法國羅曼羅蘭《約翰克利斯多夫》、俄國托爾斯泰《戰爭與和平》、英國狄更斯《雙城記》、日本紫式部《源氏物語》、我國曹雪芹《紅樓夢》。以上要皆經典之作，張愛玲之作品，均可一讀。

七、結語

我國平民教育家偉大的孔子，他一生倡導的是「全人教育」，故他對學生的教材分：一是理論部份，是即《易》、《詩》、《書》、《禮》、《樂》、《春秋》六經是也；一是實習部份，是即禮、樂、射、御、書、數六藝是也。前者講理論，後者講技藝。近人謂《易經》中有高等數學，而六藝中之「數」至少應有《九章算術》，據傳記記載，孔子博聞強記，當時罕見之動物「石燕」、「商羊」、「麒麟」出現，人皆不識，唯孔子能詳明其出處、特性，並與天候、人事之關係，而所說均驗，故時人尊之信之，一時才俊均樂與之遊，同甘共苦，衍為萬世師表。自漢以後，設國子學，均遵孔子遺規，實施全人文武合一教育，惜至後世科舉制度興，學者但知讀書而不知經世致用。導致國家積弱，國脈垂危，西風又挾其強勢入侵，國人竟自以自己擁有者已一無是處，經多次斲喪，國家元氣大傷，今國家當軸銳意興革，教改之聲，不絕於耳，而歷來不重人文學科之失，於美、日等國，已見其弊，故特藉此提出人文、科技並重管見，冀達全人教育之遠大目標，所陳當否，敬請在座師長暨同學們匡正其謬，並期教育當軸能酌采之。

八、本文重要參考資料

蔣廷黻　中國近代史
C. J. H. Hayes、P. T. Mloon、J. W. Wayland 著　李方晨等譯　世界通史　東亞書社出版
錢歌川校訂　世界文學史　正文書局編印
周策縱等　五四與中國　時報出版公司
汪榮祖編　五四研究論文集　聯經出版公司
李澤厚　中國近代思想論　谷風出版社
侯外廬　近代中國思想學說史
余英時　從價值系統看中國文化的現代意義　時報文化出版公司
成中英　知識與價值　聯經出版公司
鄭竹園　臺灣模式與大陸現代化　聯經出版公司
金耀基　中國現代化與知識分子　時報文化出版公司
金耀基　從傳統到現代　時報出版公司
天下編輯　大陸動盪的根源　天下雜誌社
方回　瀛奎律髓　商務印書館
喻守真　唐詩三百首詳解　中華書局
清高宗　唐宋詩醇　中華書局
高步瀛　唐宋詩舉要　廣文書局
劉心皇　近代中國文學史話　正中書局
司馬長風　中國新文學史
葛浩文　漫談中國文學　香港文學研究社

夏志清　中國小說史　傳記文學社
夏志清　新文學的傳統　時報出版公司
趙英敏等　胡適與中西文化　水牛出版社

——《科學教育研究與發展》特刊第1期（1995年12月），頁4-14。

鄭著《老子學說研究》序

老子的書，以其抱樸守真，知白守黑，是自古以來，使人最易懂的道理，也是使人最不易懂的道理：因為它講無為，事實上卻又講無不為；主棄智，卻又主張玄覽；主變而又守常；它反智，而卻非反知識；主不德，卻全書又以詮釋道德為中心；貶仁義，卻提倡人際關係的自然；非禮教，卻推崇宇宙和諧的法則；主張愚拙，而卻透露了「大方無隅」超越時空的大智慧；以為「道」是非物質的一種真實的存在物，卻又認為它的普遍存在、永恆存在於宇宙的本原和本體。

昔人云：「詩無達詁。」個人以為老子的書也很難有確詁的，因為後人解《老子》，或為語言文字上的障礙，或為思想層次上的隔膜，或為時代背景上呈現的景象的不同，或為見仁見智主觀認知上的差異，因此，就著述成許多不同面目的《老子》，許多不同色彩的語言，強加之於《老子》，《老子》遂蒙上了千古奇冤，或尊之為神明，或譭之為魔障，這真是素樸的老子在發表五千真言時所始料不及的奇禍啊！

因為現在的《老子》，自王弼以下，注者何只千百家，家執一辭，人為一說，或以一般訓詁強釋《老子》道德，或以儒者仁義醜詆老氏逆倫，或以西學為經，而引老氏學為個人主義之注腳，或見其微小而遺其博大，或論其博大而失其精微，此皆未能執兩用中之偏失也。

普寧鄭成海先生，早歲從當代《老子》學巨擘連江嚴靈峰先生遊，浸饋老氏學垂二十餘年，以受嚴先生目錄學沾溉既多，於民國六十年首先發表《老子河上公注斠理》，復於民國六十七年發表《老子河上公注疏證》，兩書各皆博引群籍，蒐羅諸本，參比異同，然後獨抒卓見，且各得二三十萬言，堪稱皇皇鉅構，士林重之。

按吾人治學，首須會通小學，然後探本窮源，探究奧理，是即自訓詁、聲韻、目錄、版本、斠理、疏證入手，然後彌綸群言，而研精一理，是即夫子「下學而上達」循序為學之旨也。

余默察成海兄治《老子》學之心路歷程，今再讀其《老子學說研究》手稿，深感其學不躐等，沿階而上之精神，彌足敬佩。當其二十餘年前經營《老子河上公注斠理》暨《疏證》兩大鉅著之際，是所謂「選義按部」、「考詞就班」的階段。他要精確的掌握住《老子》的語言、語意的真髓，不惜大量投入青春，消耗心力，自樸學的文字、訓詁、聲韻、校讎、版本、目錄入手，然後斟酌推動，釐清真偽，而辨別正謬。這不啻是釣者佈長鉤於深淵，獵者張羅網於山北。然後彰其玄理，會其至意，如鉤潑剌之沉魚，如網層雲之翰鳥，得心應手，其快為何如哉！

然後洞察整體，超以象外，居高臨下，飛越制度。無論老學之千變萬化，虛實無常，然以成海兄之慧觀，實早能批其大郤，導其大窾，而中其肯綮者矣！

西人治學，有所謂 Ontology 一辭，此即哲學上之「本體論」也，其功能乃在研究實在終極之本性，即事物最後之原則，我國古代之學術，唯孔子「吾道一以貫之」之「仁學」實為精彩，可予人對儒家學術系統有一明晰之概念，而老子之「道」，則通體是講「本體論」，通體是講「宇宙本體論」（Cosmic Ontology）。西人音譯老子的道（Tao），實為隔靴搔癢，它似乎是一種物質，卻又是非物質；它似乎是很神秘，卻又是不神秘；以它是宗教上的上帝（God），它卻又只是自然（Nature）；以它為物理學家假定在太空中活動的一種媒體以太（Ether），它卻又是無所不在的型物質，不是那麼狹義；它不是原子（Atom），只是在大氣層中翻騰；它更不止是細胞（Cell），只有在生物的肉體內活動的份兒。它不是牠們，但它卻涵蓋了牠們，以至於宇宙的一切，故以西人的想像，實在是無法捕捉真正《老子》學說的真相的。

而成海兄此書，卻為吾人解決了這一令人困擾的大問題，它的〈老子傳纂〉，是為我們提供了孟子提出的「知人論世」，研究《老子》思想背景的資料；它的〈著述考辨〉，亦是為我們考證原典各本的真偽，當信當疑的依據。但在「宇宙論」方面，它除了徵引群經及諸子對天之觀念外，並會通古代希臘哲學家對宇宙本體之知見，進而析論《老子》說天之多重意義，而歸納《老子》所述的「道」，即為創始宇宙的本原！《老子》的道，向無確詁，成海兄除自《老子》素樸的語言中，直述其精義，復自「以老解老」的邏輯數據中，排比《老子》的「道」與「天」的相似意義，然後以語意學的複合精神直指《老子》本心。大要言之，《老子》的道，大體有五：

1.宇宙本體。　2.自然法則。
3.行為法則。　4.大道小徑。
5.言語所稱。

而道體之特徵，動靜之間，自「無為而無不為」，則可分為：

1. 非物質的真實存在物。　2. 絕對的超越的。
3. 自然存在。　4. 先天地生。
5. 道體為一。　6. 永恆存在。
7. 普遍存在。　8. 無有極限。
9. 循環往復。　10. 無從究詰。
11. 陰陽二性。　12. 能靜能動。
13. 為萬物之宗。
14. 創生萬物而不為之主。
15. 無為而無不為。

然後指出，「道」發展整個宇宙萬物的過程，即由此一「夷」、「希」、「微」混然一體而構成天地萬物的元素（Elements）。成海兄此著將原典五千言中的「道」與「一」有相同意義的比對出來，計有十二處（此從略），然後透徹淋漓的彰顯《老子》的微旨，破迷抉疑，厥功自不待言。

至〈認識論〉、〈方法論〉、〈道德論〉三章，更釐清了老子的邏輯理念，它明白的告訴我們：知識論方面，《老子》主張求真知而反對前識。他的精神類同孔子的「默識」，而反對「小慧」的「意」、「必」、「固」、「我」。他底思想本真是「棄智」而非「棄知」的，他要我們追求的是客觀的或統觀的知識，而非主觀的「智慧」。他的「方法論」，更是透顯此種客觀精神，故其所指出「循環原理」、「相對原理」、「物極必反原理」、「正言若反」各端，都是《老子》相對論的智慧。至其〈道德論〉一章，則尤見《老子》所反對的是「人為的道德」和「虛偽的道德」，所企求的則是：「自然的道德」、「真正的道德」。故鄭著此三章的旨趣，並不在《老子》的修詞、文法或邏輯等語言的技巧的探求，其作用乃在指出《老子》道德精神理念的所在，一舉解決了筆者在本序開端時即提出的《老子》許多難解的語言、義理上的種種矛盾的問題。

本書另一特色，是將《老子》抽象的「無為」思想作了具體的詮釋，但並沒有使之「物化」。卻為《老子》一直被誤解為「虛無主義」的思想，建立了「體用兼備」的義理架構。而筆者認為最難寫的應該是《老子》「無不為」思想的彰顯，亦即自《老子》的「本體論」推衍而成的「實用論」了。此一問題，成海兄以其極綿密的〈政治理想〉、〈論兵要旨〉兩章予以充分發揮，由虛入實，化暗為明，《老子》自「無為」的「本體論」，推衍而成的「無不為」的實用的哲學，卻原來是如此的體用一貫，卻又是如此妙用無窮的啊！

《老子》「無為」的政治理想，實為對當時當政者政策上一種積極的反擊！政府對人民的生活只有一種消極干涉之措施，卻無積極規畫輔導的能力與知識，故主放任無為。而在歐洲，則遲至十八世紀，方有部份之政治學者及經濟學者提出放任主義，實緣深感當時的政府無能，不配干涉人民之活動，而類此根本無能的政府，卻又偏要有為；不配干涉，卻又偏要干涉。乃造成在位者的壟斷獨裁，造成處處都是忌諱，社會完全封閉，人民的生產活動受到限制，甚至於連自由及生命也作了無謂的犧牲，這真是極野蠻也最不合理的現象！最近曾經風靡一時的共產主義國家，驟然發生的「蘇東波」事件，多少實力強大的政權一夕之間化為烏有！這也可以證明《老子》思想的遠大正確了！因為他重視的是「無為之為」啊！因為禁令愈繁，刑法愈嚴，則社會問題也一定愈多，在在均證明「有為」之難治也。

對於政治領導者的素養，成海兄以為《老子》的要求為至高，主張政治領袖要能「見素抱樸」，要能「內以無為養神」，「外以無為治民」，要能作到「外其身」、「後其身」，甚至「無身」，始能治國、平天下。這一點要求，他和孔子是一樣的，主張當政者要「聖人」、「上善」、「善人」、「有道者」，甚至像孟子的「大丈夫」才合理想，才能「為而不恃」、「少私寡欲」與「知足知止」。

至於《老子》治國的方法，成海兄以為《老子》主張「無為而治」，其實並非無為，乃主「順乎自然」這一崇高的理念。難道不是今天民主政治所要追求的最後的目標嗎？

《老子》政治主張的特色，依本著爬梳所得：

（一）以正治國。

（二）尊重民意。

（三）省刑罰。

（四）輕賦稅。

（五）絕仁義、廢禮制。（仁、義、禮制只可為手段，不可為目的。）

（六）治大國若烹小鮮。（煮小魚，不可去腸，不可去鱗，不可翻動，恐魚糜爛也。）

這都是《老子》精彩絕倫的政治理想。而當前的民主世界，距離此一目標還是相當遙遠的啊！

唐朝研究《老子》的學者王真，以為老子的書是為「譚兵而作」。以此語論斷主「無為」、「無知」思想的老子之書，自易引起世人駭怪，因為自表面看來，老子根本是反戰的，因為他認定「唯兵者不祥」，他主「不爭」，因「戰爭」即因「爭」而生的，他認為戰爭只不過是少數政治領袖之起於「可欲」與「不知足」而引起，以至兵動處，農事廢，田不修，五穀盡亡，萬民盡為芻狗，縱令致勝，而亦「勝而不美」了。

但老子「懷柔抱質」的心靈世界，卻適足為兵家所引用的兵學原理，如：

（一）以奇用兵：

（1）用弱守柔：蓋攻強攻堅莫勝於水。

（2）持後：不敢進寸而退尺，不敢為主而為客。

（3）處下不爭：國家有力量，不逞強於天下，「不武」、「不怒」、「不與」，乃不爭之德，以逸待勞，以守待攻之大戰略也。

（4）哀兵必勝。

（二）不得已而用兵：

《孫子兵法》謂：「非危不戰。」又曰：「上兵伐謀，其次伐交，其次伐兵，其下攻城。」皆為此一思想之延伸。

（三）不輕敵，不炫力：

能隱藏力量，行無行，執無兵，以「能」示之「無能」，以「用」示之「無用」，此正《孫子》「善攻者，動於九天之上；善守者，藏於九地之下」之戰略思想也。

《老子》之戰略思想，完全以消極之手段，以達到積極之目的：以「柔」與「弱」為客之保衛戰，以消滅「剛」、「強」為主的侵略戰。英國威靈頓（Wellington）將軍於滑鐵盧大敗拿破崙；帝俄之一敗拿破崙，到了蘇聯，再敗不可一世的的德國希特勒；中日八年之戰，日本以百年維新世界極強之國，中國以百年積弱號稱「東亞病夫」之國，始則日本逞其兇頑銳利之師，狼奔豕突如入無人之境。中國則賴蔣委員長之英明妙算，與全體軍民團結奮鬥，誘敵深入，終使日本陷入泥淖，遂行《老子》以柔克剛之正確戰略思想，終使日本最後不得不屈膝投降。此無他，物極必反，盈極必虧之自然法則也。

成海兄費了多年的心血，完成了此一《老子》思想的鉅著，為《老子》思想建立了一套完整的義理架構。有本有末，有體有用，把《老子》隱微深奧的思想完完全全的彰顯出來。他不只是《老子》的千古知己，也為一般愛好《老子》的同好帶來了極實在的資訊，因為他不誇張、不武斷、更不妄斷，句句有依據，語語有來歷，立願只是還給《老子》一個本來。因為他是筆者論交數十年的知己，不以我是末學曲士，要我在他的這本鉅著前寫一篇序，寫序我那裏敢？我只是將這本大著仔仔細細地讀完，懷著敬佩喜悅的心情為我的老友這本鉅著，寫下個人一點點的心得報告而已，是為序。

——收入鄭成海《老子學說研究》，臺北，華正書局有限公司（1992 年 2 月）。又刊載於《無為鄉訊》第 53 期第 3 版，1992 年 7 月。

跋

駱以軍

某次聽黃春明先生回憶已故次子黃國峻（也是我這輩屬一屬二的小說家）童年的一段往事，非常感慨且感動，他說國峻從小便敏感而害羞，卻運氣不好沒遇到願意柔軟理解他的老師。小一時，有一次黃春明發現國峻寫作業寫到十一、二點，原來是老師要他把每一個錯字罰寫二十行，而國峻一共要罰寫九個錯字一百八十行！黃春明第二天去找老師，說我覺得對一個小一學生來說，晚上九點上床睡覺比把每個錯字寫二十遍要重要。沒想到這位老師是個氣量狹小之人，冷冷回了一句：「那我沒辦法教你們小說家的孩子。」從此在班上冷淡疏離國峻，小二時黃春明便讓國峻轉學，但那時學期還未結束，有一天黃春明便對國峻說：「國峻，我們去環島旅行好不好？」

於是，在那個年代（還沒有高速公路），一對父子，公路電影般道路在眼前不斷展開，父親騎著野狼機車（里程走太遠還要在路旁將機箱拆下清理灰渣），兒子緊緊抱著他。他們在客家村落看豬農幫母豬接生，像電影畫面，我們似乎看見七歲的小國峻，睜著驚奇，黑白分明的大眼，躲在父親腰後，看一隻一隻晶亮濕漉裹著胎衣的小豬鬼，從母豬的後胯挨擠著掉出。或是他們在旗山看見遍野香蕉樹葉如巨大神鳥集體搧撲翅翼，在颱風中中魔狂舞，也因為遇到颱風，他們騎機車頂著漫天銀光的大雨，父子披著雨衣，折返北上。

那個畫面讓我感動不已。原本是被這個社會粗暴傷害的預言般的啟始時刻，一個敏感的靈魂，卻被父親的魔術，轉進公路電影的，對這個世界驚異且詩意的窗口打開。

戴立忍導演的《不能沒有你》，也有這樣一段公路電影式的，沒有演員的對戲，只有父親騎著野狼機車載著小女孩，在公路上行駛。那在速度中被風壓擠成貓笑臉的，偎抱在一起的孤獨又渺小的父女，似乎被不斷運鏡朝後退去的公路風景療癒——海岸邊一列風力發電機的雪白風車扇葉、地名的鐵牌路標、遮斷天際線的高架橋，或他們偷爬進去借宿的小學校園教室。這部電影似乎可視為去年瘋狂大賣的《海角七號》的夢境顛倒：同樣在南臺灣（國境之南），但青春尋夢，島國嘻哈調鬧的小人物狂想曲，加上跨越半世紀時空之愛這樣的日系偶像劇，被翻轉成一個黑白片的，無路可去的，被整個現代性卡夫卡國家機器排擠到「海角」海港邊的遺棄角落。那種自得其樂，苦中尋樂，小鎮人情的人際關係支持網絡不見了，人成為最孤獨的，無告且無法掙跳脫離冰冷的戶政、警察、媒體、媚俗政客之話語，掉到這社會最底層，徹底被侮辱、損害、剝奪，我的朋友們看這部電影沒有不淚流滿面的。藉著導演的黑白片視鏡，我們被那幾乎要絕望的，只想相濡以沫守靠在一起的不幸男人和那天使般小女兒卻硬生生被拆散的命運深深打動、痛擊。在這個時刻，公路電影式的詩意眼睛，延展到近乎神的哀憫視域，鏡頭伸進大海底下，一片無際的深藍。最孤獨的人被那一整片水光晃搖的溫柔靜謐托住、撫慰。

對我這輩人來說，「父親」的難以言喻之印象，似乎可以和「公路」的意象連結。父親總是沉默的、嚴峻的，在你還是孩子的時光，不理解他為何那麼吝於表達愛，你不知道其實他自己正承受著被這世界壓扁擠碎的恐懼。他或許也不知如何告訴那個身旁的小人兒，世界是怎麼回事，譬如溫德斯的《巴黎德州》，那一片枯荒空曠的瘠土礫漠，日曝下景物扭曲著；譬如安哲羅普洛斯的《霧中風景》，小姊弟兩個拿著從未見過的父親自異國寄來的一張風景幻燈片，上路去尋找那風景的「父所在的地方」；譬如俄國片《歸鄉》，從天而降的陰鬱凶暴的父親，帶著那對兄弟，開車往他們陌生的遠方，踏上啟蒙之途。公路作為天空的反面，被壓躺在大地，跟著丘陵、沙漠、草原、海岸起伏，同時又蜿蜒伸展向這個世界的各種可能的方向。它只展現，從不多話解釋。一如父親，你必須在很多年後，才想起，並領悟他當時帶著你站在那些風景前的畫外音：「記得你所看到的一切。」

很多、很多年以前，當我還是個小孩的時光，有一個畫面：我父親會在颱風過後，溪流暴漲的陰冥夏日午後，帶著我和哥哥，穿過那些低矮屋檐人家的窄巷弄，經過一座鐵絲高網內鐵環圈發出如隱抑怒氣的巨犬咆哮聲的變電所，穿過一片拖鞋會深陷鬆土的竹林，爬上一座舊破的矮河堤。那時新店溪邊猶未建起那環河快速道路的水泥高牆，河堤似乎是日據時代留下，磚土崩落、裸出灰磚，隙縫間布滿芒草、蕨叢、牽牛，且有附近住民搭的絲瓜棚架、木瓜樹。那登上河堤的石階，似乎是每一級用溪邊鵝卵石湊拼砌成，上頭覆著細細一層土馬稯。父親帶著我們，走在那窄窄的河堤上，我們靜默地跟在他身後，那段路在記憶裏像一幅超現實之畫，河堤下的運動公園跑道散放著一種憂鬱的亮橘；遠近的行走或跑步的人們，像沒有臉孔的黑影，當時還沒有永福橋，遠眺和我們站立其上的河堤平行的惡水溪流，聲響轟轟，整片灰色的卵石河灘上孤伶伶停著一臺黃色挖土機。較近處是一整片一整片的芒草叢……

那一切如此空荒、孤寂，我父親會站在某處（或一塊巨石、或一株剛植下的柳苗幼株旁），掏出一根煙點上。我和哥哥則在一旁匍伏於地，看小水窪中的蝌蚪和翻著白肚的小魚屍，我總以為父親會對我們說些什麼，但他什麼也沒說……

父親在我心目中的形象總是如此高大。我記得小時候家中曾發生過這樣的事：有一晚母親臉色慘白回家對我們說：「你爸在路上管閑事，被人用扁鑽捅了，全是血，現在在醫院裡。」原來就在我家巷口，他路過看見三四個流氓在打一個老頭，上前干涉，對方一怒便抽傢伙往他大腿扎了一個窟窿，後來一群人到警局備案，原來是一筆亂帳，老頭欠人錢不還，被欠錢的沒輒，找了幾個兄弟，原本只是「嚇唬他一下」，不想半路冒出個一米八幾的高大漢子亂了劇本，捅傷父親那人（是個失業倒楣的傢伙）的妻子哭哭啼啼一直賠罪，父親後來反過來勸警察不要頂真，還給了捅他那傢伙一筆錢。我童年時每年除夕，家裏客廳便坐滿了一些講「外國話」的大哥哥大姊姊，和我們一起在熱煙瀰漫中圍桌吃年夜飯。等長大些我才知道，那些挨擠坐在我家窄促客廳人手一杯汽水或紹興酒，嘰嘰咕咕說著我聽不懂的方言，模糊笑臉的人們，是父親學校裏的僑生（滇緬，或印尼，或馬來西亞，或香港）。那個年代普遍貧窮，他們或無法回鄉過年，父親感慨自己二十歲離家孤自來臺，每逢年節的漂萍思鄉之哀愁，便亦父亦兄的要他們來家圍爐。我那時還是小孩，但跟著哥哥姐姐聽母親囑咐從廚房端出一盤一盤雞鴨魚肉到客廳時，記憶極深是父親哄亮的那一句：

「真的，當在自己的家裏。」

這樣的燕趙豪傑之氣，這樣的「慷慨以歌」的血性，自然苦了我那可憐的母親。父親一輩子教書，到老卻兩袖清風，主要就是他這個「車馬衣裘與朋友共」的質樸重義個性。他獨身時，自個省吃儉用，但每月薪水總被不同哥們借去。一直到成家，生了我們幾個孩子，艱難在永和買了這個小房子，卻還常為當初幾個一道從南京逃難來臺的結拜弟兄，要籌辦婚禮，要買房子頭款，做小生意要資金……

父親總是他們一開口，便豪邁地應諾，然我母親就得想方設法從銀行（我們自己的房子貸款）再多貸一些，或標會，東挪西湊。然我母親也是個遇事不皺眉的。我父親晚年總對我們說：「你媽媽啊，靈魂裏就是個男人，是個俠義之人。」她總可以在那麼困窘的家計裏，還是笑瞇瞇的，風生水起地幫父親籌出那些「有去無回」的朋友救急之錢。

我從小到大，跟在父親身旁，這樣的場面屢見不鮮：我們在公車上，遇有老弱殘疾上車，若有年輕人坐著不讓座，父親會走過去，拍拍他要他讓坐（更早的年代或有人在公車上吸煙，父親也會去制止)。我青少年期遇到這一刻，總會覺得非常羞辱(因為被提醒讓座之人總是一臉不豫；且之後的路程我總覺得全車人都在看我們)。我小學三年級時，有一年父親失業了，賦閒在家(這在我們那時是難以想像的)。原來是那時父親任教的校長(後臺非常硬，據說是當時政壇某位極高層的親戚)，將學校一筆清寒獎助學金吞佔。父親便在週會全校教職員在場時，發言痛批此事之不公義。在那個年代，校長竟當下將父親解聘。父親晚年回憶此事說，他被解聘鬱憤回家，我母親只有一句話:「沒問題！我養你！」

更多的像默片的畫面：某個晚上，父親學校某位要競選校長或院長的同事，送來一袋茶葉禮盒。走後父親發現茶葉罐裏塞了鈔票。我記得父親在燈光暗昧的客廳邊換外出衣，邊憂心忡忡和母親討論(母親一定是叮囑父親，這樣把錢退回去，一定要婉轉，不要反而無端又結了仇人)，然後在夜色中出門。或是高大的父親牽著那時還是小孩兒的我，搭公車到民權東路的「恩主公廟」，我們混在那香煙氤氳，與父親並不很搭軋的阿婆和善男信女間，父親帶著我持香祭拜那神殿裏的紅臉神靈。似乎他在這島上，在這些民間宗教的寺廟間，唯獨這義薄雲天的關雲長，是他內心神秘對話的典範。或是每到大年初二(父親的生日)，他便會長跪在家裏神桌祖先牌位旁一楨我奶奶的黑白相片之下，那段時間非常長，似乎他沈浸進一個我們這些小孩永遠不可能進入、理解的，一個永遠失去原鄉的漂泊遊子的孤寂和思慕。

父親一直是個生活藝術家，從小，永和老屋的小庭裏，一株一株他親手栽下的桂花樹、木蓮花樹、梅樹、整叢杜鵑、曇花，他親手搭棚架讓其爬藤的金銀花、九重葛（後來那日式老屋的黑瓦屋頂上全繁茂爬滿這樣野性帶刺、朵朵小紫花的植物）、鐵樹、棕櫚、小金桔樹、枇杷樹（我們幼時每當枇杷結果，父親便登梯拿小塑膠袋套住一叢叢果蕊，以防鳥食）、芒果、桂圓、木瓜……我記得整個童年的院落，當是鳥鳴婉轉、脆啼不止。他晚年還興起養荷，特意跑去南海路植物園農試所向他們買生蓮子，我開車陪他到鶯歌燒窯老街搬回四只極大之大肚古早陶缸，他先浸水「養爛泥」，待一月後才種下種子。而到他中風病倒，這整缸荷葉，長得風姿搖曳，甚至開出荷花，那讓我們更感慨萬千。他將這永和小院，暱稱（包括他刻的藏書印章）「瓟園」。他深愛陶淵明，像中國傳統文人，即使在這離散、失根、荒謬如噩夢的那一輩流亡者處境，內心還是隱祕收藏著一個「悠然見南山」的寧靜小宇宙。他且收藏茶壺、古硯（他收藏的端硯、松花硯在好友間頗為有名）。父親也是個饕家，他愛朋友，好請客，那個年代臺北大小館子哪位師傅的哪道名菜，如何作工、烹飪的祕密，他講起來眉飛色舞，如數家珍。有幾次他帶我到西門町一知名南京板鴨店，買一只巨大的金華「雲腿」，回家自己用菜刀劈剁，燉成一鍋鮮湯。父親酒量甚好（母親曾回憶，有一年他一群哥們想整他，七八個人圍攻灌他一個，全是高粱，他把大家全放倒了，自己搖搖晃晃走出，搭車回家。那是母親唯一一次看到他爛醉），但他總只是喝到微醺，興起便唱整支京劇的段子。他酒品亦極好，我想那緣自他有一顆正直、寬闊、自愛的靈魂。他十四歲便喪父成為孤兒，和大他十二歲極嚴厲的大伯父（他的大哥）一起學殺豬，他常講起自己「吾少也賤」，冬天抓豬縛綁時，常把手掌虎口扯裂，鮮血淋漓。輟學之後，他全靠刻苦自學，有同伴恥笑他當年在私塾受先生器重，如今拿尖刀全身血污，他朗朗應曰：「吾身油濁兮吾心清。」他二十出頭便離開故鄉和他摯愛的母親，並不知道自己一生將成為「異鄉人」。他早年在南京政壇算青雲得意，但後來看盡其間醜惡鬥爭，遂投入教育與學術，按說他此生歷盡種種非常人之艱困、打擊、孤獨，應是胸中鬱壘，懷憂喪志，但他本性是個快樂、溫暖，帶給他人光和熱的人。這當然也因為他遇見了我母親（我父親總說，母親是他此生的知己），他倆皆是對富貴視為浮雲，父親晚年，最大的安慰，應是母親像唐吉訶德，突發奇想跑去深坑靠石碇一極偏僻鄉下，買了一棟小屋。這之後十年，他老伴倆每逢週末便去那小屋住，週日清晨搭公車到石碇山裏一處叫「烏塗窟」的山區，一路持竹枝當拐杖，順那山路蜿蜒而上，那段路沿途層層梯田，天光水影、白雲悠悠，白鷺老牛，我想是最接近父親內心嚮往那「天人合一」的境界。

父親在〈儒家成仁取義的思想在美育上的功能〉一文中，有一段提到：「筆者本師休寧吳公兆棠先生……早歲主講青年心理，忽作警語曰：『我以為要訓練青年恢弘廓然大公的胸襟、激勵其犧牲奉獻的精神，首先要訓練他們懂得自私！』滿座失色，筆者一向服膺先生，內心也不覺駭然……乃先生復徐徐曰：『……我所講的自私，就是自愛呀！……』試看一般世俗的庸人，只知昕夕孳孳為利，畢生為攘奪而煩惱，但生理的極限卻不能違抗自然的命定，一旦壽限到來……到頭來卻一無所有。歷史上唯有聖人、賢哲、志士、仁人他們毫不保留的為社會奉獻自己，他們在世時也許是毫無所有，但他們的事蹟卻彪炳史冊，他們的人格與日月同光，而他們的精神也永存天地之間，宇宙所有的時空好像都是為他們而展開而準備的，真正的達到了一種『無我而我無所不在』的境界，我們能說這只是一種感性所煥發的浮光掠影嗎？」

對我這一代的人（包括我們作為父親的孩子），是很難理解，父親從年輕一直到老，內心始終真正的相信如孟子所說的「存養」:「吾善養吾浩然之氣。」即使時代的價值紛亂移轉或歷史的謬境讓他那一整代的人，在晚年難免如檻中困獸，今夕何夕之慨，然我年歲愈長，愈有所感父親所信仰的（年輕時我著迷西方現代主義，特別如志賀直哉的《暗夜行路》，對父所言說並尊重的那個義理世界叛逆之、逃躲之）。那個發光的、浪漫主義式的，「孔曰成仁，孟云取義，惟其義盡，所以仁至」。他是如此純潔地相信這個義與命的模型！並一生刻勵實踐，對人慷慨重義，對己自愛，他熱愛生命，充滿一種將自己奉獻給一種「天地間不朽」、「庶幾無愧」的中國士人典範。

父親的離世，對我們這一家人造成的悲慟，真是難以言喻的巨大且深遠，不止那位此生他視為比翼鳥、視為他困苦半生最大欣慰能遇之知己的，我可憐的母親；我與哥哥、姊姊私下聊起，都覺得父親的離去，對我們各自內心最隱祕的那個角落，有個什麼巨大、依傍以安身立命的大廈永遠崩毀了。我們再也不可能像從前那樣活在一個穩固而煥然發光的世界了。那不止是一種失去至愛親人的哀傷，而是他所沛然支撐起的一個他信仰的形上宇宙，在他活著的時候，我們不知珍惜，等他永遠離開了，我們才徬徨無所依，知道自己此後要孤自面對那其實價值分崩離析，人生如暗夜行路的亂世啊。

父親一生酷愛收書、藏書，近乎痴，我們永和老屋，從小的空間印象，便是屋子各牆面、走道，從客廳、臥室到飯廳，全是父親的龐大書櫃，那老屋除了客廳，並沒隔間，我們一家各自的「臥房」，其實就是父親用不同書櫃圍隔出的區塊，之中擠放一張床。後來我們漸大，父親請工人在那老屋上分別加蓋一間我與哥哥的臥室，另一類似閣樓的夾層，但後來也全堆滿父親的書。我整個童年，其實可以說是活在父親那像倉庫或圖書館四面八方各種書櫃的藏書裡。母親的回憶絕少不了，父親某幾次兩眼發光回家，跟他商量（其實他早已跟人家訂了）去貸款，用分期付款（簡直像別人家買車或買小套房）買下整套的《筆記小說大觀》、《大藏經》、《古今圖書集成》、……。除了朋友，我們這些孩子，可以說這一生他的錢全揮霍在這些書上了。我小時候亦常有這樣記憶畫面，夏日陽光飽滿，父親便要我幫他，把老屋內受潮發出霉味的一落一落硬殼精裝書，搬到小院攤開曝曬。

父親過世之後，我們發愁於父親一生珍藏的那滿室藏書，維持不易（說來慚愧，他的許多書，我忝為文字創作者，亦自知其浩瀚我一輩子不可能翻讀），恐怕溼爛蟲柱，和母親商議之後，決定捐出較有收藏價值之成套叢書，於二

○○六年贈與佛光大學圖書館。由母親和哥哥將那整櫃整櫃的書清出，並建立書目清冊。非常驚人的是，我們由母親出面一共捐贈了上萬冊（總共七十四箱）經史子集各類父親遺留之藏書，但走進那老屋，像那些書不曾少去的，仍四壁書櫃塞滿了書。

但這個清理書櫃的過程，母親卻意外找到一份父親生前論著的手稿，它們分別登載於不同之學術期刊。寫作年月跨度極大，要整理成書亦頗有難度。這時，像希臘戲劇的「天降神」，突然出現了一位我們一家人的貴人：顏世鉉大哥。

這整個過程，包括初始與萬卷樓學術顧問的中央研究院中國文哲研究所的林慶彰老師和蔣秋華老師推薦建議父親此書的出版；包括出面懇請我尊敬的王邦雄老師和蔡信發老師為此書作序；包括和父親當年任教之臺北商業技術學院圖書館方面聯繫，查詢論文發表年月資料或複印期刊論文（因為其中一篇，原來只有手稿，沒有期刊的正式論文）；包括和萬卷樓的張晏瑞先生密集電話往返，確定本書的一、二校稿，最後校稿、出書時間流程的確定……這一切於我們一家人如夢如幻的「父親的書」從遺忘的、時光迴廊的彼端被召喚、如編沙為繩、鑄風成形，成為一本真正存在的書，裡頭印刻著連我們也陌生不理解（真是慚愧）的，父親從年輕到老，對學術對義理的信仰和熱情——這全是顏世鉉大哥從頭到尾辛苦的投入，像看不見的鐘錶內部的每一機簧齒輪，全是顏大哥古人般的情義相助，他是我們一家人的恩人。

父親此書，能得到王邦雄老師（天啊！他是我們那一整個世代文藝青年的偶像）和蔡信發老師的慷慨贈序。王老師與蔡老師皆是父親生前尊敬嘆佩他們學問與人品的君子知交、偉大學問家，能得兩位先生的「夢幻之序」，相信父親在天之靈，一定感動又快慰。另外，包括林慶彰老師、蔣秋華老師、萬卷樓圖書的張晏瑞先生，以及國立臺北商業技術學院圖書館的林祥昌先生也給予極大的幫助，是父親此書能成形的關鍵人物。這裏譬借張九齡古詩〈感遇〉：

幽人歸獨臥，
滯慮洗孤清。
持此謝高鳥，
因之傳遠情。
日夕懷空意，
人誰感至精？
飛沈理自隔，
何所慰吾誠？

所謂「昔人已乘黃鶴去」，但這幾位長輩的君子不忘故交之情、之義，讓我母親和我們這些不肖後人震動且感激，湧激之恩，怎樣也無法報答。特此叩謝。

編後記

蔣秋華　顏世鉉

本書輯錄駱建人先生以論學為主的文章，無論在內容或文體方面，都比較多樣化。其中不但有單純的學術討論，也有對知識份子的期許與匡時濟世的箴言。先生生前曾以「駱建人論學雜著」為名，自編文集篇目一份，收入本書的文章共有十二篇，前十篇均出自這份篇目，而最後兩篇則為本書編者所輯得而補入。

本書收錄的文章大多已在國內刊物上發表，有的則是在學校教學研討會上報告的稿本，編輯時以之為底本，並校改了一些印刷錯誤和筆誤，在標點符號方面也加以調整，使之能符合現代編輯排版的規範；文章中所徵引的文獻、論著，大多根據原出處的原文加以查核校改，在排列的形式上也作了一些技術性的處理。

本書的編輯出版都是在駱師母張寶珠女士的支持下進行的，在編輯的過程中，也得到蔡信發老師和王邦雄老師的指導。先生的辭世，令人無限的哀痛，我們謹以此書來表達對先生的無盡的懷念。編輯的工作如有不適當的地方，希望先生生前的友好和讀者們能夠給予指正。

近來學術出版事業並不景氣，萬卷樓圖書股份有限公司願意出版這本論文集，令人深感敬佩。此外，中央研究院中國文哲研究所林慶彰先生的推薦幫助，才使本書能夠順利出版，謹致上最誠摯的謝意。

蔣秋華、顏世鉉 謹識於中央研究院

中華民國一百年十月

國家圖書館出版品預行編目(CIP)資料

駱建人論學雜著 / 駱建人著. -- 初版. --
臺北市 : 萬卷樓, 2011.07
面 ; 公分
ISBN 978-957-739-712-6(平裝)

1.言論集

078 100012784

駱建人論學雜著

2011 年 10 月 初版 平裝

ISBN 978-957-739-712-6 定價：新台幣 240 元

作　　者	駱建人	出 版 者	萬卷樓圖書股份有限公司
發 行 人	陳滿銘	編輯部地址	106 臺北市羅斯福路二段 41 號 9 樓之 4
總 編 輯	陳滿銘		
副總編輯	張晏瑞	電話	02-23216565
主　　編	陳欣欣	傳真	02-23218698
編輯助理	游依玲	電郵	editor@wanjuan.com.tw
封面設計	耶麗米工作室	發行所地址	106 臺北市羅斯福路二段 41 號 6 樓之 3
		電話	02-23216565
		傳真	02-23944113
		印 刷 者	百通科技股份有限公司

新聞局出版事業登記證局版臺業字第 5655 號

網 路 書 店　www.wanjuan.com.tw
劃 撥 帳 號　15624015